비 내리는 4·19 혁명

김영관 단편소설 모음 11

김 영관(소설가, 문학박사)

1960년 대구에서 태어남.
1998년 단편소설 <황색도시>, 미국 크랩 오처드 리뷰.
1999년 단편소설 <곱사등이>, 슬로바키아 디멘션5 시디.
소설집 <회오리바람>, <허균과 홍길동>, 중편소설집 <남북시대>
www.bookk.co.kr 전자책 <경찰 돈키호테>, <홍경래>, <그는 손전화기보다 코뿔소를 믿었다>, <쫀쫀한 놈>, <전자우편>. <2016년 서울>

비 내리는 4`19혁명

발　행 | 2016년 07월 27일
저　자 | 김영관
펴낸이 | 한건희
펴낸곳 | 주식회사 부크크
출판등록 | 2014.07.15.(제2014-16호)
주　소 | 경기도 부천시 원미구 춘의동 202 춘의테크노파크2단지 202동 1306호
전　화 | (070) 4085-7599
이메일 | info@bookk.co.kr

ISBN | 979-11-272-0262-0

www.bookk.co.kr
© 김영관 2016

차 례

비 내리는 4·19 혁명

김　영　관 (소설가)

비 내리는 4·19 혁명은 지나갔다.

그는 그해 태어났고, 그로부터 꼭 55년이 지난 비가 내리던 어제는 남한산성에 있었다.

그가 왜 비가 내리는 날, 차를 몰고 산성을 찾았을까?

'산이 깊어서 물은 있었을 텐데, 조선은 왜 더 버티지 못하고 청나라에 무릎을 꿇었을까?'

1636년 병자년 12월, 12만 명의 청나라군은 얼어붙은 압록강을 넘어 닷새 만에 개경으로 들어왔고, 강화도로 달아날 틈도 없었던 인조와 1만 2천 명의 조선군은 경기도 광주와 성남 사이에 있는 남한산성으로 몸을 피했다. 골짜기와 우물에 마실 물은 있었지만, 추위를 피할 옷과 먹을거리를 가져오지 못해 얼어 죽고 굶어 죽는 사람이 많았다. 그래서 인조는 두 달 만에 성을 나와 잠실 삼전도에서 청 태종에게 무릎을 꿇고 이마에 피가 나도록 땅에 머리를 박았다.

그런데 그는 왜 남한산성에 갔을까?

그날 비가 왔기 때문에?

조선 백성은 60만 명이 청나라로 끌려가 심양 노예 시장에서 팔렸다.

비 내리던 그날 그는 왜 남한산성에 갔을까?

비에 젖은 남한루를 보기 위해서? 비가 아니라 눈물에 젖은 것이겠지만, 그가 산모퉁이를 돌자 어디선가 고기 굽는 냄새가 났다. 400해나 지났으니까 그때의 굶주림과 추위는 물러갔다고? 거기엔 고깃집이 너무 많았다.

4·19 혁명이 일어났을 때, 그는 어머니의 뱃속에 있었다.

비가 내리는 남한산성에 그가 왜 갔을까? 그날은 4·19 혁명이 일어난 지 쉰다섯 해가 되는 날이었다. 비가 오지 않았더라면 그날도 싯누런 먼지바람이 불었을 것이다. 그랬더라면 그도 짜증이 났을 것이고, 기침을 하며 가래를 뱉어냈을 것이다.

제기랄!

그러나 그날을 비가 왔기 때문에 먼지는 일지 않았지만, 차들이 내뿜는 매연은 그대로였다.

남한루와 몇 백 해나 지난 느티나무는 비에 젖고 있었지만, 성문 안팎에는 매캐한 그을음이 감돌고 있었다. 어떻게든 매연이 적게 나오도록 차를 몰 수도 있건만, 그들은 좀팽이 같은 성깔을 버리지 못하고 가속기를 꾹꾹 밟았다.

비 내리는 산성에 남한루가 젖어들고 있었다.

"고즈넉하군."

그는 오랜만에 그런 말을 했다.

1627년에도 정묘호란이 있었는데, 그로부터 병자호란이 일어나기까지 아홉 해 동안 인조는 왜 아무 것도 하지 않았을까? 그래서 1592년 임진왜란 때의 선조나 인조는 좋은 임금으로 치지 않는다. 1555년 명종 임금 때도 을묘왜란이 있었는데, 선조는 왜 아무 것도 하지 않았을까?

그는 왜 비가 오는 날, 남한산성을 찾았을까?

'30900원은 어디로 빠져나갔을까?'

아무래 생각해도 나는 요즈음 한 달 동안 3만 원 넘는 돈을 쓴 적이 없다. 그런데도 통장에는 틀림없이 그렇게 찍혀 있었다.

'정말 그 돈을 어디에 썼을까?'

술값? 나는 술집에는 간 적이 없고 막걸리 두세 통밖에는 사지 않는다. 그건 3000원이면 떡을 친다.

전철이나 버스도 지난달에는 거의 타지 않았기 때문에 차비로 나갈 리는 없다. 그렇다고 식구를 데리고 어디 나가서 밥을 먹은 적도 없다. 난 사람이 붐비는 곳에는 가지 않는다.

30900원은 언제 어디로 빠져나갔을까?

3만 원이면 잘 생각이 안 날지도 모르지만, 30900원이라는 재미있는 숫자는 그렇게 잘 잊어버릴 만한 값이 아니었다.

'내 돈 30900원은 어디로 사라졌을까?'

난 아무리 생각해도 그걸 어디에다 썼는지 알 수가 없어서 길을 걷는 내내 생각에 잠겼다.

앞에는 경찰 버스가 한 대 서 있고, 그 옆에는 검은 옷을 입은 딱 보기에도 형사와 순경으로 보이는 사람들이 길 한가운데 서 있었다. 나는 거기를 지나 집으로 걸어가고 있었던 것이다. 그들은 길을 비키지 않고, 오히려 짙푸른 점퍼를 입은 나를 빤히 보고 있었다.

'저들은 나보다 나이가 어리다. 그리고 나보다 못생겼다. 링컨의 말대로 얼굴이 잘생긴 건 하루아침에 이루어진 것이 아니다.'

나는 그렇게 생각하며 어깨에 가볍게 힘을 주며 목을 길게 뺐다. 그들과 마주치기 얼마 앞에서 나는 일부러 고개를 획 돌려 길 건너를 바라보았는데 거기 골목길에도 이미 똑같은 검은 옷을 차려 입은 대여섯 명의 형사와 순경이 있었다.

'오늘 무슨 일이 있군.'

나는 여기에서 무슨 시위가 있겠구나, 하고 생각했다.

그날 남한산성에는 비가 내리고 있었다.

30900원은 어디로 빠져나갔을까?

나는 요즘 들어 그렇게 많은 돈을 한꺼번에 쓴 적이 없다. 하지만 무슨 일이 있어 몇 백만 원을 다른 통장에서 빼내 아까 그 통장에 넣어둔 일은 있다. 차에 넣는 기름은 5만 원이나 8만 원이지 3만 원어치를 넣지는 않는다. 그렇다면 30900원은 무엇일까?

키다리 형사는 보기보다 얼굴이 그렇게 못되어 보이지는 않았고, 그의 옆을 지나가도 그는 아무런 기척도 내지 않았지만, 그다음 걸어오던 얼굴이 햇볕에 몹시 그을린 땅딸막한 형사는 길을 비켜가기는커녕 그와 스쳐 지나갈 때,

"허, 흠-."

하며 아주 크게 헛기침을 했다.

제기랄!

어떻게 저와 비슷한 나이의 사람이 지나가는데 길을 비키기는커녕, 그렇게 큰 소리로 헛기침을 일부러 한다는 말인가!

난 갑자기 기분이 나빠져서 나도,

"카악."

하며 크게 헛기침을 했지만, 가래는 뱉지 않았다.

젠장!

나도 키가 작지만 나보다 더 작은 그 땅딸보 때문에 나는 기분이 잡치고 말았다.

그래서 나는 그 30900원이 어디로 사라진지 굳이 더 생각을 했다. 4월이 깊

어지면서 벚꽃은 거의 다 떨어지고 있었고, 개나리와 은행나무와 다른 나무들은 새파란 잎이 제법 돋아나 있었다.

하늘은 맑고 봄바람은 불고 차들은 먼지를 내며 쌩쌩 달리고 있었다.

형사들은 내 눈치를 살피고 있었다.

나도 형사의 눈치를 살피고 있었다.

그런데 그는 왜 비가 내리는 날 남한산성에 갔을까?

30900원은 언제 어디에서 썼을까?

키다리와 땅딸보는 그 둘(남한산성과 30900원)을 이어보았다.

그가 남한산성에 갔을 때 비가 왔다면, 그건 지난 일요일이나 월요일이었다. 그리고 또 그가 30900원이 어디엔가 쓰였다는 것은 안 것은 비가 내리지 않던, 바로 우리들(키다리와 땅딸보) 앞을 지나고 있을 때였는데, 그날은 틀림없이 목요일이었다. 그리고 우리는 남한산성에 들어가는 데는 30900원이 들지도 않고, 주차비 1000원이나 2000원이면 된다는 것을 알았다. 남한루나 다른 것을 보는데도 1000원이나 2000원이 든다고 해도 스무 군데는 보아야 3만 원이 들 테니까 그럴 리는 없었을 것이다.

그로부터도 비는 닷새째 내리지 않았다.

"그는 내 어깨를 치지 않았어."

땅딸보가 뭔가 켕기는 데가 있는지 그렇게 말했다.

"내가 슬쩍 보니 눈매가 아주 날카롭더군."

키다리는 그날 그와 눈이 마주치자 섬뜩했던 것을 떠올렸다.

그날 땅딸보를 피해 먼저 인도와 도로가 닿는 길가 쪽 돌 위로 비켜났던 것은 바로 나였다.

그는 비가 내리는 날 왜 남한산성에 갔을까?

그리고 30900원은 어디로 사라졌을까?

땅딸보와 키다리 형사는 머리를 맞대어보았지만, 알 수 없었다.

이레째 비는 내리지 않았다.

나는 그 30900원이 어디로 사라진지 차츰 잊고 있었다.

여드레째 비도 내리지 않았고 4·19 혁명은 소리 없이 지나갔다.

"5월 1일이 노동절이지? 그날 또 조용히 지나가지 않겠군."

땅딸보가 얼굴을 찡그리며 말했다.

그러나 비가 내리지 않는 시청 앞은 조용했다.

"그놈에게 어떤 힘이 느껴졌다는 말이지?"

키다리가 땅딸보에게 물었다.

"그렇다니까. 내가 어깨에 힘을 주면 거의 모두 튕겨나가듯이 비켜나게 되어 있는데, 그는 그렇지가 않았단 말이야.”

땅딸보가 굳이 길가로 비켜나던 그를 떠올리며 말했다.

‘그와 그는 같은 사람일까, 다른 사람일까?’

땅딸보는 그 실마리를 찾으려고 호박만한 대가리를 벚나무에 대고 박고 있었으며, 키다리는 나뭇가지 속으로 머리를 들이밀었다.

지난 일요일이나 월요일에 비가 내리는 남한산성에 갔던 사람은 그였고, 비가 내리지 않던 목요일에 형사들이 깔린 시청 앞을 지난 것은 나였다. 그렇다면 그 두 사람은 같은 사람인가, 아닌가?

먼저 같은 사람이라고 치고, 땅딸보는 일요일과 월요일에 찍힌 남한산성 감시 카메라를 되돌려보았다. 땅딸보의 키가 160센티였으니까, 그는 170센티가 안 되는 키에 덩치가 있어 보이고 잘생긴 얼굴이었다.

그런데 생각보다 일요일은 비가 석게 내려서 남한산성에 사람들은 꽤 있었고, 생각보다 비가 많이 내린 월요일에는 사람이 거의 없어서 땅딸보는 그가 일요일에 온 사람 가운데 섞여 있을 것이라고 생각했다. 그래서 사람이 나타나는 새벽부터 감시 카레마를 돌려보다가 낮 1시쯤에 남한루 가까이에 있던 한 식구로 보이는 네 사람 가운데 아비로 보이는 사람이 땅딸보의 눈에 들어왔다. 먼저 그는 두 팔을 흐느적거리며 아주 어슬렁어슬렁 걷는 걸음걸이가 다른 사람과 두드러지게 달랐고, 키는 그다지 크지 않았지만 어깨가 넓어 보였고, 머리숱이 많아 보였다.

“아무래도 저 놈 같은데?”

얼굴을 찡그리며 화면을 쳐다보고 있던 땅딸보가 말했다.

그의 주머니 속에는 남한산성 남문 주차장 영수증이 들어 있었다.

2015/04/19 13:00 1,000원

“왜 비가 내리던 4·19에 남한산성에 갔나?”

“시위가 있던 목요일 시청 앞을 지나갔던 것도 꺼림칙해.”

두 형사가 번갈아가며 그를 다그쳤다.

“4·19 혁명과 병자호란이 무슨 관계가 있나?”

키다리 형사가 땅딸보에게 물어보았다.

“글쎄, 내가 그런 걸 알아야지.”

땅딸보가 시큰둥하게 말했다.

“나라를 잘 다스리지 못했다는 것!”

그가 그렇게 말했다.

"뭐라고? 큰일 날 소리를 하는군."

두 형사는 그렇게 말했지만, 4·19 혁명과 병자호란이 무슨 관계가 있는지는 몰라도, 비가 내리던 4월 19일에 그가 남한산성에 간 것과 30900원은 아무런 관계가 없다는 것을 알게 되었다. 나중에 안 것이지만 30900원은, 4월 20일 그가 돈이 없어서 다른 은행 인출기에서 10000원만 빼려고 했는데, 30000원이 뺄 수 있는 가장 적은 돈이라고 하는 바람에 울며 겨자 먹기로 900원이라는 수수료까지 물면서 30900원을 뺐던 것이었다. 그렇다면 그건 그가 비가 내리던 4월 19일에 남한산성에 갔던 것과는 아무런 관련이 없는 일이었다.

제기랄!

그리고 처음부터 그 두 사람이 다른 사람이라면, 땅딸보가 아무리 비가 내리던 일요일이나 월요일 남한산성에 온 사람을 다 찾아보아도 허탕을 칠 것이다. 그리고 그가 비가 내리는 날 왜 남한산성에 갔는지, 사라진 30900원이 어디로 갔는지 알 까닭도 없는 것이다.

아까도 말했지만 그 30900원은, 내가 돈이 없어서 다른 은행 인출기에서 10000원만 빼려고 했는데, 30000원이 뺄 수 있는 가장 적은 돈이라고 하는 바람에 울며 겨자 먹기로 900원이라는 수수료까지 물면서 30900원을 뺐던 것이었다. 그러니까 그건 그가 비가 내리던 4월 19일에 남한산성에 갔던 것과 나와는 아무런 관련이 없는 일이었다.

젠장!

그렇다면 그와 나는 같은 사람인가, 다른 사람인가?

그건 이제 여러분이 알아서 헤아리기 바란다.

4월 30일, 날은 말짱한데 나는 재채기를 쏟아 내고 있었다. 그게 매연 탓인지, 서양 민들레 꽃씨와 누런 먼지 같은 소나무 씨가 날려서 그런지, 어제는 비가 오다가 날씨가 갑자기 더워져 낮과 밤이 15도 벌어져서 그런지, 어제 감으려다 머리를 안 감아서 비듬이 술술 떨어지는 바람에 과민 반응을 일으켜서 그런지, 아무튼 기분도 안 좋고 지쳐 있었다.

제기랄!

5월 1일 노동절에도 키다리와 땅딸보 형사는 시청 앞에 서 있었지만, 별 탈 없이 조용히 지나갔다. 그리고 그들은 하릴없이 거리를 거닐며 그때 처음으로 4·19 혁명과 병자호란이 나라를 잘 다스리지 못했기 때문에 일어난 것이라고 생각했다.

나는 이제 그가 왜 비가 내리던 날 남한산성에 갔는지가 알고 싶었다.

그건 뜻밖에 땅딸보의 입에서 나왔다.

"그는 그날 아침 비가 내리는 4·19 혁명 기념식을 텔레비전에서 보았고, 낮에

식구 넷이 어디 멀리 가기도 뭐해서 가까운 남한산성을 보러 갔던 것입니다."
 비가 너무 오지 않아서 모든 것이 메말라버렸기 때문에 사람들도 더 까칠해졌고, 그날 땅딸보도 그에게 먼저 선뜻 길을 비켜주지 않았던 것이다. 나무와 바람, 땅도 메마르고 사람의 넋도 메말랐다. 봄비라도 축축이 내리면 못된 것도 까칠한 것도 좀 덜 할 것이다.
 나는 나대로 지쳐 있었고, 그도 그대로 지쳐 있었으며, 키다리와 땅딸보 형사도 지쳐 있었고, 그날 시위를 하러 나오려던 사람들도 지쳐 있었던 것이다. 지치지 않은 것은 4·19 혁명과 그날 비에 젖은 남한루와 숲뿐이었다.
 그래도 그는 무엇을 해야 하는가?
 그래도 나는 무엇을 해야 하는가?
 비 내리는 4·19 혁명은 지나갔다.

- 끝 -   2015/5/8

하늘을 나는 수도꼭지

김 영 관 (소설가)

나는 아무 것도 쓸 수가 없었다.

그건 아마 날마다 똑같기 때문일 것이다.

무엇이 말인가?

같은 길, 같은 사람, 같은 생각, 같은 색깔?

그러나 어느 새 가을은 깊어가고 하늘은 더 파랬다.

수돗물은 졸졸 새고, 나는 아직 그 꼭지를 갈아 끼우지 못했다.

왜냐고?

아주 오래 된 수도꼭지라서 요즘 것과는 잘 맞지가 않았다. 그래도 난 어딘가에 꼭 맞는 것이 있을 것이라고 생각하고 있다. 게다가 요 얼마 앞에 그걸 몸소 고치려고 수도꼭지를 빼보았지만 꿈쩍도 하지 않았다.

물이 새는 수도는 우리 집에 하나 더 있다.

그건 베란다에 있는 수도인데, 거기서 물이 똑똑 떨어진 지는 10년쯤 될 것이다. 그런대로 견딜 수는 있었다. 하지만 난 이번에 그거 두 개를 모두 고쳐보기로 마음먹었다. 특히, 부엌에 새는 수도는 밤에 물소리가 시끄러워 아내는 자주 짜증을 내곤 했다.

'어쨌든 저 물이 줄줄 새는 수도꼭지는 갈아 끼워야 해.'

나는 그렇게 생각했지만, 자칫 잘못하다가는 벽 속에 든 수도관까지 비틀어질지도 몰랐다.

'그래도 어떻게든 저건 고쳐야 하지 않을까?'

밤에 잘 때 그 물소리는 정말 짜증스러웠고, 또 수도꼭지를 끌 때마다 어떻게든 물이 적게 나오도록 안간힘을 써야 했기 때문에 지쳤다. 그래서 나는 날이 아주 차가워진 어느 날 낮, 새로 바꾸어 끼울 우리나라 수도꼭지 작은 것을 6000원, 그리고 그 수도관을 돌릴 다른 나라 나사돌리개를 10000원에 샀다.

다음 날 아침, 나는 먼저 수도 계량기를 잠그고, 아들이 수도관을 그 나사돌리개로 잡고 내가 작은 새 수도꼭지를 겨우겨우 갈아 끼웠다. 그리고 내친 김에 베란다에 있는 오래된 수도꼭지를 빼서는 물이 새는 틈새를 바느질 하는 흰 실로 칭칭 묶었는데 처음에는 물이 똑똑 떨어지다가 마침내는 멈추었다.

'그래, 됐어!'

나는 속이 시원했다.

그러나 새로 간 부엌 수도꼭지에서도 물이 똑똑 떨어졌는데, 나는 그걸 판 사람이 못마땅해서 바로 그 자리에서 거기로 뛰어가 다른 것으로 바꾸어달라고 하고 싶었지만, 꾹 참았더니 야릇하게도 다음 날은 물이 떨어지지 않았다.

어느 만큼은 일이 마음대로 된 것 같아 나는 기분이 좀 좋았다. 식구도 모두 그런대로 잘했다고 말했다.

'수도꼭지가 하늘을 날며 물이 뚝뚝 떨어지면 얼마나 좋을까?'

너무 힘이 들어서 그랬는지, 나는 그런 생각이 들곤 했다.

하기야 더운 물이 나오는 우리 집 수도꼭지도 싸고 낡은 것이어서 손잡이가 조금 부서져 있었고, 찬 물이 나오는 새로 간 수도꼭지도 여느 집 마당에서나 볼 수 있는 그런 것이었기 때문에, 아내는 좀 더 멋진 것을 바랐을 것이고, 나도 그런 것으로 갈아 끼워주고 싶었지만, 거기에 딱 맞는 그렇게 비싸지 않는 것은 잘 찾을 수가 없었다.

그러고 보면 우리 집과는 달리 다른 집 부엌에서 쏟아지는 물줄기는 꽤 높은 데서 좍, 하며 쏟아지지 않았던가! 아아, 나는 그런 것마저, 우리 것은 어째서 저럴까, 돈을 덜 들여서 그럴까, 하며 괴로워하면서도 거의 10년은 더 버티고 있었던 셈이었다. 돈을 들이지 않고 그동안 내가 몸소 수도꼭지를 갈아서 그랬을까? 아니, 그런 걸 다루는 사람에게 갈아달라고 했을 때, 그들도 모두 벽 속에 든 수도관이 비틀어지면 큰일이라고 두려워하며 마침내 갈지 못하지 않았던가! 어쨌든 나는 손수 그걸 해내었다고 생각할 수도 있는 것이다.

그러나 며칠이 지나자 베란다 물통에 물이 거의 가득 찬 것을 볼 수 있었는데, 그건 물이 알게 모르게 아주 조금 떨어진다는 말이었다,

'그래, 저걸 가지고 물방울이 떨어진다고 볼 수는 없지.'

나는 그만 그렇게 생각하기로 했다.

왜냐하면 그건 거의 1분에 한 방울씩 떨어졌으니까, 한 시간에 60방울이 떨어지고 하루 24시간 동안에 1440방울이 떨어진다면 1.4리터의 물이 차는 셈이지만, 물통이 14리터는 담을 수 있으니까 열흘은 어떻게든 견딜 수가 있다는 생

각이 들었기 때문이었다.

하지만 그것도 괜한 걱정이었다.

12월로 들어서면서 영하 10도 강추위가 몰아치더니 물이 가득 찬 물통도 수도꼭지도 꽁꽁 얼어붙어버렸다. 그래서 그런지 똑똑 떨어지던 물이 마치 고드름처럼 물통에 세워져 있었다. 다음해 봄까지는 거기서 물이 떨어지는 건 생각 안 해도 될 것 같았다. 그리고 난 아주 바쁜 일이 있어서 부엌 수도꼭지도 잊고 있었는데, 그걸 좀 좋은 걸로 바꾸면 어떨까, 하는 생각도 어느새 사라진 듯했다.

그러는 동안 나는 늘 다니던 길에서 벗어나 다른 길을 걸으며 다른 모습들을 보게 되었다. 그건 얼마 동안은 새롭게 느껴지기도 했지만, 이내 익숙해졌으며 다시 지겹게 느껴지기고 했다. 날이 너무 추워서 그럴 수도 있었겠지만, 지겨운 것도 좀 참지 않으면 정말이지 무슨 일을 해낼 수가 없을 것 같았다.

그러나 10년 동안 마시던 막걸리를 끊고, 맥주로 바꾸었다.

그때까지는 그래도 좋았다.

그러나 그로부터 한 달이 지났을 때, 드디어 아랫집에서 물이 샌다는 말을 들었다.

제기랄!

그게 정말 내가 간 수도꼭지 때문에 뒤쪽 벽 속에 든 수도관이 뒤틀려 물이 샌다는 말인가?

아아, 젠장!

나는 그 생각으로 괴로워하다가 드디어 손전화기로 120을 눌러 물이 새는 곳을 찾아달라고 말했다.

"부엌 쪽이 아니라 욕조 수도관이 새는 것 같습니다."

그들이 그렇게 말했다.

이걸 뜻밖이라고 해야 되나, 짜증이 난다고 해야 되나?

"물이 새는 걸 빨리 고치세요."

아랫집에서는 그렇게 말했다.

부엌 수도꼭지에서 새던 물을 고치고 나니, 목욕탕 벽 안에 든 수도관에서 물이 샌다. 그건 내가 고칠 수는 없겠지만, 그것보다 더 큰일이 지난달에 집안에 있어서 난 이리저리 지쳐 있었다. 모든 걸 가볍게 생각해버리고, 아니 훌훌 던져버리던 버릇이 있던 나는 참 괴로웠다. 하지만 난 자꾸 그런 걸 잊으려고 애썼고, 지쳐서 그런지 곧잘 잠에 빠졌다.

"이번에는 30, 40만 원은 생각하셔야 합니다."

새는 수도관을 고치러 온다는 사람이 전화로 말했다.

"네, 알겠습니다."

나는 그렇게 말하며 가볍게 입술을 다물었다.

'그래도 고칠 건 고쳐야지, 수도 계량기가 자꾸 돌아가고 있잖아.'

난 그렇게 생각했다.

날도 풀렸다, 추웠다 하듯이 삶도 그런 것 같다는 생각이 들었다.

그러나 그 어느 쪽도, 풀리든 꽁꽁 얼어붙든, 살아내야 할 삶이었다.

다음날, 40만원을 주고 하루 내내 벽을 뜯어내고 욕조 수도관을 고쳤다. 시끄러운 소리와 먼지와 때문에 나는 추워도 문을 조금 열어두었다.

'돈이 없으면 고치지 못한다.'

나는 그런 생각을 했다.

또 고치지 않았더라면 물 값은 더 나왔을 것이고, 아아, 그런 것은 생각하지 않는 게 좋다. 누가 말대로, 저기 서 있는 껄렁껄렁한 놈들이 와서 때린다면 어떻게 하겠습니까, 하니까, 어느 스님이, 그들이 내게 오지도 않았는데 그걸 내가 어떻게 알겠느냐, 그런 것은 그때 가서 생각해도 늦지 않다는 말처럼 그렇게 생각하는 게 좋다.

아무튼 다음날은 밝아왔고, 물은 잘 나왔고, 고친 사람에게 돈도 보냈으며, 부엌 수도꼭지를 다른 것으로 바꿀 마음도 얼마 동안 생기지 않을 것 같았다.

하지만 겨울은 더 얼어붙고 있었고, 나도 몸과 마음이 더 얼어붙어 있었다. 부엌에 매달린 수도꼭지가 언제쯤 더 멋있게, 하늘에서 물을 쏟아낼지는 알 수 없었다. 아픈 어머니는 내가 물을 틀 때다 수도꼭지를 바라보았다. 아마 그 물소리가 귀에 익숙해서 그랬을지도 모른다. 나는 또 새로운 삶을 살아야 했다. 물은 새는 게 멈추었지만, 어머니도 삶을 멈추었다. 삶이란 이어지는 것인지, 끊어졌다가 다시 이어지는 것인지, 나날이 똑같은 것인지, 나날이 다른 것인지, 그게 그거인지, 더 훌륭한 삶이라는 건 따로 있는 것인지 난 아직 잘 알 수가 없었다.

해가 바뀌었지만, 난 아직 부엌 수도꼭지를 더 좋은 것으로 바꾸지 않았다. 그건 아직 쓸 수 있었기 때문이기도 하지만, 다른 것으로 갈다가 물이 샐까, 두렵기도 했기 때문이었다.

그동안 나는 제주도로 놀러갔다 왔고, 보지 않으니까 수도꼭지는 잊을 수 있었다. 삶이 조금씩 바뀌어갔지만, 야릇하게도 더 잘 쓰일 것 같던 이야기가 더 잘 쓰이지 않았다. 길, 사람, 생각, 색깔도 다 달라졌지만, 내가 크게 바뀌지 못한 탓인 것 같았다. 그것도 아니면 다시 시뿌연 먼지가 뒤덮인 하늘 탓에 기분이 안 좋아서 그런지도 몰랐다.

그런데 한 보름 전부터는 찬 물은 괜찮은데 부엌에 뜨거운 물이 나오는 수도꼭지에서도 물이 똑똑 떨어졌다.

'그래, 저기서 물이 많이 떨어지면, 그때 가서 정말이지 하늘을 나는 수도꼭지로 갈지 뭐.'

나는 그렇게 생각하고는 길을 걷다가 수도꼭지를 파는 데 들러서 어떤 멋진 것이 있나, 값은 얼마인가, 물어보곤 했다. 값은 21000원, 27000원, 31000원으로 뜻밖에 우리나라에서 만든 것 치고는 쌌지만, 그런 가운데도 앞으로 말썽거리가 될 만한 것은 남아 있었다. 그건 바로 우리 집 수도관은 아주 오래된 것이라서 뜨거운 물과 찬 물 수도관의 사이가 14센티나 벌어져 있었는데, 내가 몸소 재본 21000원짜리 수도꼭지는 겨우 10센티밖에 되지 않았던 것이다. 그걸 내가 어떻게 알았냐고? 그건 자를 가지고 다닐 수는 없어서 내가 미리 재두었던 손전화기가 딱 12센티였는데, 그 수도꼭지는 거기에도 못 미쳤기 때문이었다.

하지만, 27000원짜리나 31000원짜리 수도꼭지는 아직 그 거리를 재어보지 못했지만, 둘 다 우리나라에서 만든 것 치고는 값이 아주 싸서 난 마음속으로, 그게 우리 집 부엌에 꼭 맞으면 얼마나 좋을까, 하고 생각하고 있었다.

이제 아랫집에서는 물이 안 새는지, 방과 마루를 다 뜯고 새로 꾸미고 있어서 시끄러웠고, 게다가 윗집 바로 옆집도 집을 크게 고치는지 드르륵, 쿵쿵거리는 망치와 톱질소리 따위가 시끄러웠다.

하늘을 나는 수도꼭지는 아직 달지 못했다.

날이 추워서 달기가 귀찮은 것도 있었지만, 무엇보다 아직 그렇게 하기가 싫고 두려웠다. 그건 잘못 건드렸다가 수도관이 비틀어져 샐지도 모른다는 것이 두렵기도 했고, 또 그렇게 되면 몹시 귀찮기도 했기 때문이었다.

부처가 되는 데는 1초면 된다는 말이 있다. 넉넉하게 생각할 때는 넉넉한 것이고, 두려움은 부처처럼 이겨내야 하는 것이다.

아무튼 2014년은 지나갔고, 2015년은 왔다.

부엌 수도꼭지는 쓰기에 조금 거북해도 쓸만하고, 베란다에서도 물은 떨어지지 않았다.

'그래도 언젠가 갈기는 갈아야 되겠는데.'

하지만 나는 부엌 수도꼭지를 틀 때마다 그런 생각이 들었다.

그건 설거지를 할 때나, 주전자에 물을 담을 때는 수도꼭지가 짧아서 거북했고, 아내는 손이 시리다고 늘 말했기 때문이었다.

뭔가 모자라고 안타까울 때, 이야기가 더 잘 쓰인다는 말이 정말이라면, 그 작은 6000원짜리 수도꼭지도 그런대로 괜찮다. 하지만 신명이 나야 이야기가 더 잘 쓰인다면, 나는 몇 잔의 커피와 술을 마셔야 할 것이다.

　그러나 해가 바뀌었어도, 아직은 몹시 추운 1월이었다. 나는 그걸 먼저 잘 견디어내야 했다. 만약 수도꼭지에 물이 샌다면 나는 먼저 그걸 어떻게든 막으려는 생각을 했겠지만, 말이다.

　그런데 하늘을 나는 수도꼭지를 단다고 내가 신명이 날까? 얼마 동안은 그럴지도 모른다. 하지만 그런 것은 곧 잊혀지고, 난 생각하는 바로 이때로 다시 돌아올 것이다. 그래도 쓰기가 거북해서 자꾸 새 수도꼭지를, 그건 좀 더 비쌀 테고 새로 달기가 두렵고 귀찮지만, 달고자 한다면, 정말 그런 생각이 들 때 가서 정말 바꾸면 되지 않을까!

　날마다 똑같다는 날은 늘 다시 돌아왔다.

　그 속에서 나는 아니, 그렇기 때문에 나는 모든 걸 단번에 깨뜨리려고 했는지 모른다. 그게 부처가 되는 길이라고 했으니까. 단번에 모든 걸 깨드리고 나아가는 것! 그게 버릇이든, 믿고 있는 바든, 잘못된 삶이든 나는 그렇게 살아 왔다. 그렇다고 내가 그 모든 것을 다 한꺼번에 깨뜨리고 새롭게 나아간 것은 아니지만, 그런 생각을 날마다 하고 있기 때문에, 아니 이야기를 쓸 때만은 늘 그런 생각으로 썼다.

　또 무엇을 그렇게 했냐고?

　담배를 단번에 끊었고, 내가 믿고 있는 바를 깨려드는 생각을 단번에 깨버렸으며, 또 내가 진짜 잘못된 것이라는 생각이 들면 올바르게 바꾸려고 했고, 세상에 잘못된 것들은 이야기로 단번에 바로잡아놓았다. 못 믿겠다고? 그렇다면 이 수도꼭지 이야기는 믿겠는가? 믿을 수 있다면, 내 이야기도 믿을 수도 있을 것이다.

　그런데 이번에는, 여러분이 또 이 이야기를 믿든 못 믿든, 전기밥솥에 밥이 되지 않았다. 벌써 한 시간도 더 전에 내가 쌀을 씻어 밥을 안쳤는데도 뭔가 야릇해서 뚜껑을 열어보니, 물에 잠긴 쌀이 그대로 있었다.

　제기랄!

　그러니까 아까 밥솥 밑에 물기 좀 많다 싶었는데도 내가 그대로 집어넣고 전원을 넣었더니 찌직, 하는 소리가 났는데 아무래도 그때 탈이 난 것 같았다. 하지만 나는 그렇게 쉽게 전기밥솥을 바꿀 사람이 아니라는 건 이제 여러분도 알 테고, 해서 나는 온갖 전원에 다시 전기밥솥을 꽂아보다 그것도 안 되자, 이번에는 아예 속이 마르라고 밥솥은 빼고 뚜껑을 열어두었다. 나는 그렇게 한 몇 시간 기다린 다음에 다시 전원을 넣어보기로 마음먹었던 것이다.

　그러나 그 모든 것은 되지 않았고, 그런 걸 견디지 않으려는 아내는 마침내 11만 원을 주고 새 전기밥솥을 덥석 사왔다. 그리고 그 다음날 나는 헌 전기밥솥을 들고 고치러 갔더니,

"안에 바퀴벌레가 꽤 많더군요, 고치는 데는 85000원입니다."
하고 말했다.

그러니까 거기 말로는 바퀴벌레 탓에 전기가 합선되었다는 말인 것 같았다.
나는 내가 밥솥 밑바닥 물을 안 닦아 그런 것 아니냐는 말을 하고 싶었지만,
"차라리 새로 사는 게 낫겠네요."
하고 말하고는, 거기를 나왔다.

그런데 내가 갑자기 전기밥솥 이야기를 하는 까닭은, 그 다음날 아내는 부엌
에 다는 그야말로 하늘이라도 날을 것 같은 더운 물과 찬 물이 한데 엉겨져 나
오는 반짝거리는 날개를 가진 듯한 새 수도꼭지를 57000원에 덥석 샀기 때문
인데, 그건 나한테 묻지도 않고 새로운 것을 샀다는 것이 뭔가 모든 것은 단번
에 깨버리는 이야기와 이어지는 데가 있었기 때문이다.

그러니까 아내는 지난 몇 년 동안 새로 살까, 말까 괴로워하는 것보다 새 전
기밥솥이나 수도꼭지를 사는 게 훨씬 낫다고 생각하는 사람이었다. 참 야릇하
게도 나는 그런 몇 만 원이 드는 일에는 참 쩨쩨했지만, 그게 몇 백만 원, 몇
천만 원이 왔다 갔다 하는 일이면 누구보다도, 아내보다도, 훨씬 빨리 마음을
결정짓곤 했다. 또 돈으로 샐 수 없는 모든 이의 마음자리를 새롭게 바꿀 수
있는 이야기를 짓는 데도 결코 머무적거리거나 망설이지를 않았다. 나는 그런
일에는 곧잘 덤비는 버릇이 있었다.
"그래, 당신 참 쩨쩨해."
아내는 내 뒷이야기는 아랑곳하지 않고 말했다.

아무튼 그로부터 며칠 뒤, 나 드디어 그 새 수도꼭지를 몸소 달았다. 그게 처
음에는 제대로 이어지지 않아 물이 줄줄 샜지만, 마침내 몇 번이고 물을 잠그
러 지하실을 오고 간 다음에 그럴 듯하게, 아니 말짱하게 고쳐놓았다. 또 그게
새 57000원이나 하는 새 수도꼭지니까, 그야말로 하늘을 나를 듯 번들거리고
있는 것 같기도 했다.

나는 뭔가 고맙고, 그게 반드시 아내는 아닌 것 같은데, 뿌듯해서 몇 십 번이
고 새 수도꼭지를 자꾸 쳐다보았다.

- 끝 -　　　2015/1/17

세상에는 뭔가 잘못된 것이 있다고 그는 믿었다.

김 영 관 (소설가)

황소가 뒷걸음치다가 쥐를 잡는다는 말이 있다.

봄은 아직 멀었다.

가까이 오긴 온 것 같은데, 그에게 아직 느껴지지 않기 때문이었다.

"날이 차서 오늘은 영하 7도라고 하는데 봄은 무슨 봄."

그는 그렇게 중얼거리고는 무릎이 시린지 자꾸 주물렀다.

"모든 건 뜻밖에 일어난다고? 마치 우주가 그렇게 만들어졌듯이?"

그는 어떤 물음에 휩싸였다.

지구가 금성과 화성 사이에, 그러니까 해에게서 딱 그만큼만 떨어지지 않았다면 물도 풀도 없었을 것이라고 한다. 더 가까우면 뜨거워서 물이 다 말라버리고, 더 멀면 또 중력이 줄어들어서 물이 부글부글 끓듯이 사라져버린다는 것이다.

잘못사는 사람은, 태어나기 앞의 삶에서 죄를 지어 그럴 수도 있다는 게 불교에서 말하는 업, 인과응보다. 그렇다면 태어나기 앞의 삶에 살았던 그 사람은 또 어디서 온 것인가? 또 그 앞의 앞에 있던 사람은? 그렇게 따져나가면 그도 마침내 원숭이, 벌레, 흙과 물, 지구, 우주에서 온 것이 아닌가? 그렇다면 우리가 살고 있는 이 태양계도, 우리 은하계 끝에 있는 탓에 말하는 바로 이때도 터지고 깨지고 부딪치지 않고 잘 돌고 있다고 하는데, 우주에는 그런 은하계가 5천만 개도 넘는다고 한다.

하지만 우주는 터지고 깨지면서 자꾸 더 늘어나고 있다는데, 그가 어디서 어떻게 온 것을 정말 그 업이나 인과응보로만 따질 수 있을까? 그건 따질 수 없을지 몰라도, 그가 더 부지런히 공부를 하지 않아서 돈을 잘 못 벌고 있다고? 아니, 그도 할 만큼은 했다. 그런데도 그가 그렇다면, 모든 건 차라리 뜻밖에 일어났다고 말하는 게 낫지 않을까? 황소가 뒷걸음치다가 쥐 잡듯이 말이다.

그러나 공부나 일을 진짜 부지런히 해서, 돈을 버는 사람은 그렇지는 않을 것이다.

그런데 그는 이야기를 짓는데, 그게 예술적인 글이 되느냐, 아니냐는 늘 뜻밖이었다. 아무리 부지런히 힘들게 써도 어떤 때는 잘 되었고, 어떨 때는 못 되었다.

흐린 토요일 낮 3시, 모두가 잠이 들고 거리는 뿌옇고 그는 홀로 이야기를 쓰고 있었는데, 그게 잘 쓰이지를 않았다. 그 이야기가 예술적이냐, 아니냐는 아직 더 기다려봐야 하고, 누가 읽고 어떻게 느끼느냐에 달렸는지도 모른다. 그리고 미리 말해두지만, 그때까지 그의 이야기는 전혀 돈벌이가 되지 않았다.

그 몹시 흐린 토요일 낮 3시에 눈이라도 내린다면, 이야기가 잘 쓰일 수도 있겠지만, 2월의 마지막 날에 그렇게 많은 눈이 내릴 것 같지도 않았고, 그냥 먼지와 섞여 하늘이 희뿌옇게 흐리기만 해서 그런지, 그나 그들이나 모두 스산하기만 했다. 그렇지 않은 몇 사람은 어려서부터 아주 밝게 자란 사람일 것이며, 그래서 모두가 한번쯤은 부러워할 만한 사람일 것이다.

아무튼 그는 그 흐린 토요일을 이야기를 쓰면서 혼자서 지키다시피 하고 있었던 것이다.

그가 그날 아침에 그렇게 일찍 일어난 것은 아니지만, 이야기를 썼고, 하늘이 더 흐려지기만 하던 낮에도, 어딘가에 돈을 부치러 잠깐 다녀와서는 다시 이야기를 썼다면, 그건 그가 흐린 토요일을 잘 지키고 있었다고 말해도 괜찮지 않을까?

세상에는 뭔가 잘못된 것이 있다고 그는 믿었다.

'모든 게 뜻밖에 일어난다고 치면, 차라리 말하는 바로 이때나 부지런히 즐겁게 살 일이다.'

그는 그렇게 생각했지만, 마음속으로는 제발 따뜻한 봄이 빨리 오기를 기다리고 있었다.

"마음이 무엇인가?"

하고 어느 스님이 물었더니 누가,

"생각입니다."

하고 말하니까, 스님이,

"그렇다. 생각하는 것이 바로 마음이니까 생각이 없다면 마음도 없는 것이다."

라고 말했던 것이 그는 갑자기 떠올랐다.

생각이 곧 마음이고, 마음이 곧 생각이다?

　그는 그건 맞는 말이라고 생각했다.

　그러나 그로부터 며칠 뒤, 날씨가 아주 좋았는데도 이야기는 잘 쓰이지 않았다.

　'그건 머리에 도파민이 모자라서 그런 게 아닐까? 도파민, 뇌신경 세포에 흥분을 전달하는 구실을 한다. 자외선, 티로신, 멜라닌 색소, 콩과 식물과 이어지는.'

　그는 우리말 사전에서 도파민을 찾아보았다.

　하기야 술이 한 잔 들어가면 이야기가 잘 쓰일 때가 있기는 있었는데, 그게 다 골이 들떠서 그랬던 것이라 해도, 그래도 그렇지 어떻게 날마다 아침마다 술을 처먹어야 쓰겠느냐, 이 말이다!

　그러면 기분이 좋은 일은 잘 없고, 차를 몰 때마다 미친 연놈들 지랄하는 꼴만 보게 되니, 그의 골에 언제 도파민이 들어오겠는가! 그래서 그는 햇볕도 쬐고, 콩으로 만든 두부와 된장국도 먹고, 일부러 두유까지 마셔보았지만, 그렇게 나아지는 것 같지도 않았다.

　그로부터 며칠이 지났을 뿐인데, 봄은 또 오고 있었다.

　그는 식구를 남산에 데려다주고 가던 길을 돌아섰다.

　남산에는 봄이 와 있었고, 그들은 그 길을 따라 멋진 산길을 걸어올랐을 테지만, 그는 이야기를 쓰기 위해 차를 돌려 홀로 집으로 왔다. 그리고 이야기를 쓰다가 그게 잘 안 되었던지, 땅바닥에 누워 그의 아내가 사다준 땅콩을 먹었다. 그날 그는 혹시 머리에 도파민이라도 돌까봐, 그물로 된 주머니 속에 가득 들어 있던 땅콩을 거의 다 까먹었지만 그때뿐이었다.

　그런데 그가 이런 지랄을 하는 것이 모두 그 인과응보로 탓일까? 세상 탓은 없을까?

　그는 올해 쉰여섯 살로 보기보다는 잘생긴 얼굴인데, 그것도 그의 말대로 옳게 살아 왔기 때문에 생길 수 있는 그런 얼굴이라고 말하는 게 낫겠지만, 젊었을 때는 그렇게도 많던 머리숱도 왼쪽 정수리 쪽은 많이 줄어들었다. 눈썹이고 머리카락이고 다 칠흑같이 검은 게 좋지만, 봉황의 꼬리를 닮았던 그의 눈썹마저도 예전만은 못했다.

　먼저 요즘 그런 그의 모습이 그의 탓이라면, 술을 자주 마신 탓, 젊었을 때 담배를 피운 것, 밤을 새우고는 공부하지 않은 것, 어떤 자리나 돈이나 힘을 가지려 하기보다는 사람답게 사는 이야기를 자꾸 쓴 탓일 것이다.

　다음, 세상 탓이라면, 힘과 돈을 가진 이들이 그런 생각을 하는 그를 좋아하지 않았던 것, 운이 없었던 탓, 따위일 것이다.

　그럼 그의 탓인가, 세상 탓인가? 아니면, 그 둘 모두의 탓인가?

　그래, 그 둘 모두의 탓이라고 하는 게 차라리 나을 것이다.

그의 잘못만 있는 것도 아니고, 세상의 잘못만 있는 것도 아니라고 말이다.

그렇면 그가 앞으로 가야 할 길은 뚜렷한 것이다, 더 바로 올바르게 즐겁게 살아야 한다는 것이다! 그러면 다음 삶에는, 더 멋진 사람으로 태어날 것이다.

그로부터 한 달 뒤, 그는 그날과 똑같이 아내와 아들과 딸을 남산 길에 내려주고, 같은 길을 돌아 나와서 오랜만에 집에서 이야기를 썼다. 그날처럼 봄은 왔지만, 하늘에는 시뿌연 먼지가 뒤덮여 있었다. 그때와 다른 것이라고는 그가 몸살을 앓고 있다는 것이었다.

술, 담배, 공부, 도파민, 봄, 먼지, 남산 길, 이야기는 자꾸 돌고 돌았다. 술, 담배를 먹고, 공부를 하고, 가끔은 저절로 기분이 좋아 도파민이 저절로 나오고, 봄이 오고, 먼지가 뒤덮고, 남산 길을 오르고, 그가 이야기를 쓰는 것이 늘 되풀이 되고 있었던 것이다. 마치 먼지가 회오리바람을 일으키며 돌듯, 우주도 그렇게 돌고 있듯이 말이다.

그러나 그런 가운데서도 그는, 벌써 열 해 앞에 담배를 뚝 끊었고, 그렇게 기분이 좋은 날이 없는지 머리에 도파민은 돌지 않는 것 같았고, 남산 길이 아닌 다른 길을 걸었다. 이처럼 어떤 것은 되풀이되지 않았고, 이건 거의 그의 뜻과 관계가 있는데, 어떤 것은 되풀이되었다. 마치 일곱 날이 되풀이 되고, 한 달과 한 해가 똑같이 가고, 달이 지구를 돌고, 지구가 해를 돌 듯이 말이다.

그런데 자리나 돈과 힘은 왜 그에게 그렇게 돌지 않았을까?

자리나 돈과 힘이 그에게도 조금이나마 돌고 있다고 느껴진 것은 거의 스무 해도 더 앞의 일이었다. 그 다음부터 그는 그런 걸 거의 느끼지 못했지만, 야릇하게도 이야기를 줄곧 쓰면서 세상을 바꿀 수 있다는 어떤 힘은 느끼고 있었다.

그로부터 한 달 만에, 영하 7도이던 아침이 7도나 올라갔다.

오지 않던 봄이 마침내 온 것이다.

그 봄도 돌고 돌아서 온 것이다.

하지만 몇 달 동안 눈도 비도 거의 오지 않아서, 온 나라가 메말라버렸다. 땅도 강도 사람도 다 메말라 붙었다. 그도 그래서 힘이 나지 않았던 것은 아닐까? 그도 마침내 또 몸살이 나고 보름이나 앓았다. 어제도 온다던 비는 내리지 않았다. 그런 가운데서도 땅속에 뿌리를 박은 개나리도 목련은 피었다.

'그래도 모든 것은 돌고 돌며 뜻밖에 일어난다고?'

그는 이제 그렇지 않다고 생각해보기로 했다.

모든 것은 그 스스로의 뜻과 생각과 힘에서 일어난다고 생각했다. 그가 그렇게 할 수 있는 것은 오로지 이야기를 쓰는 일뿐이었다. 직박구리가 막 피어나는 목련 꽃잎을 따먹어도 다 따먹을 수는 없으며, 다음에 또 다른 직박구리가 날아온다고 해도 다른 꽃잎을 조금 따먹다가 또 날아갈 뿐이다. 목련이든 직박구리든, 그든 저마다 제 할일만 하면 되는 것이다.

"그런데 어제 비가 온다는 말은 누가 했을까, 오지도 않는 비를? 일부러 지어낸 말이 아닐까?"

"방송에서 그렇게 말했지, 비가 조금 내릴 것이라고."

"그건 너무나 가물고 메말라서 성이 난 사람들 마음을 어떻게든 달래려고 누가 지어낸 말이 아닐까? 그렇게 말해두면 토요일과 일요일, 어디 놀러 다니다 보면 잊게 될 테니까."

"그럴 수도 있겠군. 그런 놈들도 하늘이 내리는 벌을 받게 될까?"

"글쎄, 죽고 난 다음에는 다시 짐승으로 태어나거나, 사람으로 태어난다고 해도 괴롭게 살게 되겠지."

그는 그런 인과응보는 믿고 싶었다.

그는 살아서 훌륭한 일을 하고 있다고 믿기 때문에, 다시 태어나도 훌륭한 일을 하게 될 것이라고 믿었다.

비가 내릴 것이라고 거짓말을 한 놈들이 있다고 해도 그건 그들의 일이고, 정말 그가 할 일은 따로 있을까? 그들이 거짓말을 한 것이라고 이야기를 짓는 일?

그들이 왜 그런 거짓말을 자꾸 하는가 하면, 그들은 잘 다스리고 있다고 믿고 싶기 때문에 그것보다 더 훌륭한 생각은 못하기 때문이다.

그럼 그는, 왜 그렇게 운이 없어 자리나 힘이나 돈을 차지하지 못했는가?

그건 이 앞의 삶에 뭔가 잘못을 했기 때문일 수도 있지만, 그래도 그 탓만 하고 있을 수는 없었기에 그는 즐겁고 훌륭하게 살려고 힘을 쓰고 있는 것이었다.

"쿨럭, 쿨럭."

그는 벌써 보름째 기침을 쏟아내고 있었다.

기침이 잦아들기는 했지만, 그는 괴로웠다.

그게 보름 앞만 하더라도 날이 추웠기 때문에, 그가 시뿌연 먼지가 낀 날 차 안의 발열기를 오래 켰기 때문에 목이 칼칼해졌고, 목이 아프면서 몸살이 났다. 그게 오로지 그의 탓이라고? 그러면 시뿌연 먼지도, 그 많은 차와 매연도, 그래서 쏟아내던 기침도 다 그의 탓인가, 세상 탓은 하나도 없고?

그렇지는 않을 것이다.

봄은 왔지만, 봄 같지가 않았다.

그가 그렇게 생각하는 게 잘못일까?

그렇지는 않을 것이다.

세상에는 뭔가 더 잘못된 것이 있다고 그는 믿었다.

그건 바로 그들이다.

 그들이 힘있는 어떤 자리에 앉아 그들끼리 돈과 자리를 나누어 가진다면 그건 잘못이다. 또 그런 그들이 다른 사람을 다스리는 것도 잘못이다. 그렇다면 훌륭하지 않으면 다스리지도 말아야겠지만, 세상에는 뭔가 더 잘못된 것이 있었다. 그게 무엇일까? 누리고자 하는 마음?

 비다운 비가 내린 지는 벌써 몇 달이 된 것 같았다.

 그러는 동안에 산과 들은 메말랐고, 땅에는 시뿌연 먼지가 일었으며, 그는 아직도 기침을 쏟아내었다.

 그런데도 개나리와 진달래, 목련이 피고 있다는 게 좀 야릇했지만, 피지 않은 것보다는 나은 일이었다. 그 꽃마저 정말 피지 않는다면 어떻게 될까? 그때는 정말 끝장일 것이다.

 그로부터 열흘 뒤, 축축이 봄비가 왔다.

 나무와 땅은 더 넉넉해졌지만, 사람들은 느긋해지지 않았다.

 왜? 본디 마음이 넉넉하지 못하니까?

 세상에는 뭔가 더 잘못된 것이 있다고 그는 믿었다.

 느긋하지 못하고, 힘없는 사람에게 못되게 구는 연놈들은 어딘가 모자라는 연놈들임에 틀림없다.

 이제, 여러분은 그가 올해 몇 살이며 어디서 무엇을 하고 있는가, 궁금할 것이다.

 그는 쉰여섯 살로 집에서 이야기를 쓰는 글쟁이다. 그리고 그는 물 흐르듯이 흐르는 세상을 만들려고 생각하고 있기 때문에, 잘 가는 차를 괜히 막는 차나, 일부러 억박지르듯 무섭게 차를 모는 놈들이나, 오지도 않는 비를 올 것이라고 거짓말을 하는 놈들, 축축이 비에 젖은 나무나 땅보다 느긋하지 못한 연놈들을 싸잡아 까는 것이다.

 야릇하게도 그런 그를 싫어하는 연놈들은, 마음이 너그럽지를 못했고, 사내답게 느긋하지도 계집답지도 못했다. 한마디로 그런 못된 연놈들은, 결코 남을 먼저 돕거나, 자리나 길을 몰래 비켜주거나, 짐을 들어주지 않는다.

 그래, 좋다, 처음에 그가 말한 대로 황소가 뒷걸음치다가 쥐를 잡듯이 모든 것이 뜻밖에 일어난다고 치자. 그런 걸 기꺼이 받아들이고, 훌륭하게 앞으로 나아갈 줄 아는 사람은 누구일까? 마음이 좁고 아기똥하고 좀스러운 연놈들일까?

 그렇지는 않을 것이다.

 그건 바로, 늘 올바른 일을 힘차게 밀어붙이는 사람이 아닐까?

 왜냐고?

 세상에는 뭔가 잘못된 것이 있다고 그는 믿었으니까.

- 끝 - 2015/4/5

중늙은이

김 영 관 (소설가)

어제는 밤하늘이 참 맑았다.

서울에서 그렇게 많은 별을 본 것도 참 오랜만이었다.

넉넉잡아 별이 백 개는 될 것 같았다.

날마다 한 개의 별을 바라보는 사람과 백 개의 별을 바라보는 사람과 천 개, 만 개의 별을 바라보는 사람은 다를 것이다.

내가 설악산에 오른 것은 1980년 여름이었다. 그게 한 1년쯤 더 앞의 일인지도 모르지만, 1년 뒤의 일이 아닌 것만은 틀림없다. 왜냐하면 나는 그 다음해는 군대에 가서 그때 처음으로 밤하늘에 금가루를 뿌려놓은 것 같은 별을 보았기 때문이다.

그러면 설악산에서는 별을 못 보았느냐고?

그게 잘 생각이 나질 않는다.

그리고 나는 35년 만에 다시 설악산에 오른 것이 아니라 인제에서 속초로 가면서 그 산을 바라보았다. 눈 덮인 엄청난 산이 바로 앞쪽에 떡 버티고 있었다.

"이젠 저걸 넘지 않아도 돼. 미시령 굴이 뚫렸으니까."

3300원을 내면 설악산을 넘지 않고 굴을 지나 바로 속초로 갈 수가 있었다.

"별이 보이느냐?"

"잘 안 보이는데요."

"그렇겠군, 저 달 좀 봐, 흐릿해서 잘 안 보이잖아."

별은 똑같은데, 아니, 그것도 좀 늙었거나 다시 젊어졌거나 부수어졌거나 다시 태어났겠지만, 나는 설악산에 올랐을 때에 별을 본 기억은 나지 않았고, 가장 많은 별을 본 것은 군대에서 훈련을 받던 밤 금가루를 뿌려놓은 듯 빛나던 별빛은 생각이 난다. 그리고 그로부터 35년이 지난 어제 오랜만에 맑은 서울 밤

하늘의 별을 보았다.

그러니까 별과 설악산을 두 번씩 거의 35년 만에 틀림없이 다시 본 것이지만, 그 산과 별 밑에 있던 나는 늙어 있었다. 스무 살이었던 젊은이가 쉰다섯 살 중늙은이가 된 것은 맞지만, 어쩌면 그렇지 않을 수도 있다. 그건 어떻게 살아왔느냐에 따라 달라질 수도 있기 때문이었다.

스무 살 젊은이는 그때 영하 20도의 밤에 총을 쏘는 훈련을 받고 있었고, 쉰다섯의 중늙은이는 시름에 겨워 허덕이고 있었다. 누가 더 힘이 들었을까?

"별이 참 많지?"

나에게 그렇게 말하던 그는 조교의 군홧발에 얻어맞고 있었다.

그는 키가 몹시 작았고, 테가 굵은 안경을 쓰고 있었으며, 이미 짝을 지은 아내가 있었다. 조교는 나이가 많다고 그가 대든다고 생각했을 것이다.

그러면 여기에서 그 스무 살 젊은이는 그저 젊은이로, 쉰다섯 살 된 늙은이는 중늙은이로, 조금이라도 줄여서 말하겠다. 젊은이는 군복무를 마치고 다시 학교로 돌아갔고, 그럭저럭 공부하는 것보다 나는 누구인지, 네가 누구인지 묻는 책을 읽는 것이 더 재미있어서 그런 이야기도 써보았지만, 누구 하나 알아주지 않아서 하는 수 없이 더 공부하는 바람에 얼마 뒤 학생들을 가르치게 되었다.

중늙은이는 이름난 글쟁이는 아니었지만, 그런대로 재미있게 이야기를 많이 쓰고 있었고, 요즘 들어 부쩍 쓸쓸한 표정을 짓곤 했다. 그 젊은이가 왜 그렇게, 말하는 바로 이때의 중늙은이처럼, 되었는지는 운명이라고 하는 게 가장 맞는 말이겠지만, 어떻게 보면 뜻대로 되었다고 볼 수도 있고, 일부러 어떤 길에서 벗어나고자 했기 때문에 그렇게 굴러갔다고 볼 수도 있었다.

별은 달과 이어져 있었고, 나는 거의 밤마다 그 별과 달을 한 줄로 이어보았다. 나는 그 젊은이와 중늙은이를 한 줄로 이을 수 있을까? 그리고 만약 그 줄이 서로 어긋난다면, 나는 그때나 이제나 다르게 살 수 있을지도 몰랐다.

그렇다면 스무 살과 쉰다섯 살의 한가운데라고 볼 수 있는 서른여덟 살 때, 나는 무엇을 하고 있었던가?

1998년 서른여덟 살인 나는 여러 대학에서 가르치고 있었다. 그때도 그 스무 살의 젊은이는 학교를 다니고 있었고, 쉰다섯 살의 중늙은이는 이야기를 쓰고 있었다. 나는 세상과 스스로를 달래기 위해서 가르치면서 이야기를 쓰고 있었다. 그때 젊은이는 쓸쓸했고 중늙은이는 즐거웠지만, 나중에는 마침내 둘 다 쓸쓸해 보였다. 그건 좋게 말해서, 쓸쓸해야 이야기를 더 잘 쓸 수 있기 때문인지도 몰랐다.

군대에 처음 갔을 때 말고는 나는 배는 그렇게 고프지 않았다.

그때 그 젊은이는 웬만큼 머리도 좋았고 몸도 튼튼했지만 운이 따르지 않았다. 아니, 많은 사람들이 그랬는지도 모르지만, 그도 그 가운데 한 사람이었다는 말이다. 그러면 그 중늙은이라도 나중에 운이 좋아야 하는데, 그도 그렇지 못했다. 둘 다 술을 먹고 밤하늘의 별을 찾아 나섰지만, 그 둘에게 운은 따르지 않았다.

그러나 나는 아직 그 서른여덟 살이었기 때문에, 힘은 남아 있었다. 스무 살이 서른여덟이 되기까지는 열여덟 해가 걸렸지만, 쉰다섯이 되는 데는 열일곱 해밖에 걸리지 않았다. 그 젊은이도 그동안에 짝을 지었고, 쉰다섯 중늙은이가 되자 그의 딸과 아들은 스물다섯과 스무 살의 젊은이가 되어 있었다.

나는 언젠가 그 젊은이와 중늙은이가 만나는 자리를 마련해주고 싶었다. 말이라도 한번 시원하게 둘이 나누면 뭔가 그들의 앞길이 달라지지 않을까, 싶었기 때문이었다.

"만나서 무얼 하겠는가? 운명은 바꿀 수가 없어."

중늙은이가 나에게 말했다.

"아니오, 한번 만나보고 싶군요. 앞으로의 내 모습일지도 모르잖아요."

젊은이는 젊은이답게 아주 궁금한 듯 그렇게 말했다.

그래서 마침내 그들이 만났던 해는 1998년이었다.

그때 나는 서른여덟 살로 아직 힘이 꽤 남아 있을 때였다. 아니, 어쩌면 그건 스무 살 젊은이보다 더 힘이 셀 때였는지도 모른다.

중늙은이는 그 젊은이가 바로 그가 젊었을 때의 모습이라고 그랬고, 젊은이는 늙어서 그처럼 되지는 않았을 것이라고 말했다. 나는 그 한가운데에서 그 둘을 똑똑히 지켜보고 있었다.

그들 셋은 똑같은 게 하나 있었다.

그건 바로 거의 모든 것을 마음에 들어 하지 않고, 못마땅하게 여긴다는 것이었다.

그러나 마음에 드는 것은 다 달랐다.

먼저 중늙은이는 짝짓기, 서른여덟 살된 사람은 술, 스무 살 젊은이는 사랑이었다. 그때 그 젊은이는 아직 이야기를 쓸 생각은 하지 않고 있었고, 갈피를 잡지 못하면서 사랑을 찾아 쓸쓸히 거리를 걷고 있었다.

그러면 이 이야기의 초점은, 아무래도 그 스무 살 젊은이에게 돌리는 게 낫겠다. 왜냐하면 다른 이는 다 짝도 지었고, 얼마만큼 이름도 있다고 여기고 있고, 돈도 좀 벌고 있고, 아들과 딸도 있지만, 그는 아직 나이도 적고 이제 갓 거친 삶 속으로 튀어나온 사람이며, 아직 짝도 없었고, 무엇을 해야 할지도 모르고 있었으며, 쓸쓸히 거리를 걷고 있었으니까.

"그건 그 젊은이를 너무 가엾게만 여기는 것이 아닐까? 그보다 딱한 젊은이도 많았을 텐데 말이야.”

　중늙은이가 나에게 말했다.

“불쌍한 것은 아니라는 말이군요.”

　나는 그렇게 말하고는 좀 생각에 잠겼다.

　그 젊은이는 왜 그렇게 길을 찾지 못했을까? 그가 가난했다면, 그는 돈을 버는 일에 바빴을 것이다. 먹을거리를 찾는 짐승을 쓸쓸하다고 말할 수 있을까?

　그러면 그는 사랑은 왜 찾지 못했을까?

　넉살이나 배짱이 없어서? 그래, 그랬다고 치자.

　그렇다면 왜 그게 없었을까?

　꾸지람을 많이 듣고 자라 겁이 많고 무서움을 타서? 그래, 그랬다고 치자.

　그러면 그게 그의 탓은 아니지 않는가?

　그렇다면 그 젊은이는 이제부터 어떻게 해야 할까? 아니, 여러분은 그가 어떻게 살았는지가 더 궁금할 것이다. 그는 그렇게 겨우 버티다 군대에 갔고, 거기서 얻어맞다가 다시 학교로 돌아와서는 익살과 배짱도 좀 부리게 되었지만 옳게 돈도 못 벌고, 또 그렇게 벌고 싶은 생각도 없었고, 더 공부하다가 겨우 몇 시간씩 대학에서 가르치는 일을 그로부터 20년 동안이나 하면서 이야기만 쓰고 있었다.

　그러면 그가 군대에 갔다 오면서 익살과 배짱을 좀 부리게 되었다는 것인데, 그건 여러 가지 힘든 일을 겪으면서 그게 좀 늘어났다는 말이다. 또 그건 계집이 아이를 낳고는 넉살이 좋아지고 배짱이 세어지는 것과 비슷하다는 말인데, 그럼 못된 연놈들도 다 그렇다면 이건 어쩐지 마음에 들지는 않겠지만, 마침내 못된 것들은 못된 것들끼리 짝을 짓고, 착한 사람은 착한 사람들끼리 짝을 지을 테니까 걱정하지 않아도 된다. 못된 연놈들이 훌륭한 일을 했다는 말은 듣지 못했으니까.

　그 젊은이가 스무 살이었을 때는 1980년이었다.

　그 해는 <서울의 봄> 학생들의 시위운동이 있었고, 비상계엄령을 내린 군사정권이 총칼로 그걸 틀어막고는 1987년 6월 혁명으로 무너질 때까지 나라를 다스렸다.

　그러나 그로부터 30년이 지난 중늙은이가 사는 바로 이때도, 잘사는 사람은 더 잘살고 못사는 사람은 더 못살고 있었다. 그때보다는 나아졌다고 해도 잘사는 사람이 더 잘사는 건 바뀌지 않았다. 아주 잘사는 사람에게는 돈을 훨씬 더 많이 거두어들여야 하는데, 그걸 자꾸 못사는 사람들이나 그저 그렇게 사는 사람들과 똑같이 돈을 거두어들이려고 하니까 탈이었다.

　제기랄!

별은 며칠째 보이지 않았다.

다시 밤이고 낮이고 희뿌연 하늘이 찾아왔다.

사람이 그렇게 추운 데서 살아도 견딜 수 있는 것은 파란 하늘과 하얀 눈 때문이 아닐까, 중늙은이는 요즘 그런 생각을 했다, 그 젊은이가 그때 그런 생각을 할 수 있었다면, 그 긴 겨울을 그렇게 쓸쓸하게 보내지 않을 수 있었을지도 모르지.

그러나 그때 겨울도 희뿌옇고 을씨년스럽고 스산하기는 마찬가지였다.

젊은이는 젊었고, 늙은이는 늙었다.

그렇다면 아직 하늘과 별을 바라볼 줄 아는 중늙은이는? 그 젊은이가 늙지 않았더라면 날마다 하늘과 별은 바라볼 줄은 몰랐을 것이다. 넉살이나 배짱이 좋은 놈이 반드시 좋은 계집을 만나는 것도 아니었다. 그들은 너무 일찍 설치는 바람에 너무 일찍 삶이 정해져서, 더 나은 삶을 살 수가 없었기 때문에 더는 기를 펼 수가 없었다. 꼭 천천히 익는 삶이 더 낫다고는 할 수 없지만, 훌륭한 삶이란 건 늘 따로 있으니까.

이제는 마지막으로 그 서른여덟이 된 사내의 이야기를 할 때다.

아까도 말했듯이 그때는 1998년으로 그가 짝을 지은 지 8년이 지났을 때였고, 박사가 막 될 때였으며, 여러 대학에서 하루에 몇 시간씩 가르치고 있을 때였다.

그런데, 그때 그는 뭔가 모자랐다. 머리도 몸도 아직 모자랐지만, 스무 살과 서른여덟 살과 쉰다섯 살의 그 세 사내 가운데, 누가 무엇이 더 낫고 모자란다고 정말 말할 수 있을까?

스무 살의 젊은이는 쉰다섯 살의 사내보다 겪은 일이나 그로부터 얻은 생각은 적다고 할 수 있지만, 더 오래 힘차게 달릴 수는 있어서 군대에서도 그 차가운 별밤에 뛰고 걸을 수 있었다.

그러나 그 중늙은이는 그때로 돌아가고 싶지 않았다.

몰라, 말하는 바로 이때의 생각과 머리로 돌아간다면 다시 생각해보겠지만, 그가 그럴 마음이 없다는 것은 그때가 그만큼 괴로웠다는 말이었다. 그때 그 젊은이는 어디 한 곳이라도 마음 둘 자리가 없었고, 몹시 외롭고 쓸쓸해서 군대에서는 더욱 견디기 힘들었다. 그게 서른여덟 살쯤이 되고부터는 나아졌지만, 그건 그가 짝을 지어 나온 아이들과 아내와 더불어 살아가면서 깨친 것이었다. 그때부터 그는 거리를 더욱 씩씩하게 걸었고, 일부러 더 걸으면서 삶을 더 생각했고, 그건 곧 힘이 되었다. 그래서 그런지 그는 얼마 뒤 담배를 끊고도 삶을 견딜 수 있었으며, 눈은 빛났고 다리와 몸은 굵어졌다.

이제, 쉰다섯이 된 그가 모자라는 것은 무엇일까?

슬기?

돈?

힘?

돈은 벌 수 있고 힘은 남아 있으나, 아무래도 슬기가 모자라는 것 같았다.

그러나 사람들은 힘이 있고 돈이 있는 사람이 슬기가 있는 듯이 따랐다. 그래서 그는 그런 그들과 더 멀어졌으며 만나지도 않았다. 그가 보고 만나는 사람은 돈도 없고 힘도 없지만 너그럽게 사는 사람들이었다. 슬기는 바로 마음이 너그럽다는 것이었다.

그러면 그 중늙은이는 서른여덟 살 때로 돌아가고 싶은 것일까?

"아냐. 나는 그래도 바로 이때가 좋아."

중늙은이가 일부러 좀 퉁명스럽게 말했다.

그렇다면 그건 그때도 그는 뭔가 마음이 놓이지 않았다는 말이다. 그때는 돈도 더 벌어야 했고, 힘도 더 길러야 했으며, 그 힘이라는 것은 따지고 보면 그건 슬기로운 생각과 다리의 힘이었지만, 아이들도 더 잘 돌봐야했다.

이제 그는 중늙은이가 되었지만, 돈도 조금씩 벌고 있었고 힘은 늘 그대로였다. 그럼, 생각은 슬기로워지고 마음은 너그러워졌는가?

그건 이 이야기 속에 나오는 사람들에게 물어보자, 그가 그렇지 않다면 누가 그렇겠느냐고.

그 젊은이는

"그게 내가 늙은 모습이라니 슬프군요."

하고 말했다.

서른여덟 살이라는 그 사람은,

"내가 그렇게 바뀔줄은 몰랐군요. 운명이라고 해야겠군요."

하고 말하며 고개를 숙였다.

그 모든 걸 받아들여야 하는 중늙은이는, 비가 오는 창밖을 바라보며 바로 그 이야기를 쓰고 있었다.

그는 운명과 늙은 모습을 받아들이고 더 새로운 길을 또 찾아 나아간다. 오늘 밤에는 별도 빗물에 씻길 것이다.

다시 봄이 멀지 않았다.

이제 중늙은이는 쉰여섯 번째 봄을 맞게 되었다. 곧 목련도 피고 개나리와 진달래도 필 것이다. 그는 그동안 날마다 천 개의 별을 바라보았는가? 무슨 헛소리냐고? 그러면 한 개의 별이라도 바라보아야지.

그는 며칠 앞에 화천 아흔아홉 굽이를 지나 양구에 있는 평화의 댐을 다녀오며, 이제 스물 살이 넘은 그의 아들에게 물었다.

"하늘에 별이 많이 보이느냐?"

그는 차를 몰고 있었기 때문에 하나의 별밖에는 볼 수 없었다.

"아뇨, 잘 안 보이는데요."

그의 아들이 말했다.

요 며칠 날이 아주 희뿌옇게 흐렸기 때문에 그럴 것이라고, 그는 생각하고 있었다.

그게 오늘은 비가 내리며 깨끗이 씻기고 있었고, 운명은 바로 그런 것이 아닐까, 중늙은이는 빗물에 젖은 창문을 바라보며 아직 이야기를 쓰고 있었다.

- 끝 -　　2015/2/21

무기력

김 영 관 (소설가)

사람이 무기력하다는 것은, 힘이 없고, 느즈러지는 것이다.

창밖에 또 봄은 왔고, 비는, 내릴 것이다.

그것만으로도 사람은 많이 달라질 것이다.

달라지지 않는 사람은 바뀌지 않을 것이며, 삶이 그다지 즐겁지도 않겠지만, 바뀌는 사람은 늘 그랬듯이 즐거울 것이다.

그는 그 봄을 쉰여섯 번째 맞이하고 있었지만, 몇 달 동안 내리지 않았던 비가 어제 내렸기 때문에 더 기뻤다.

그런데 그는 스물여섯 살 때의 봄은 생각이 나도, 열여섯 살이나 여섯 살 때의 봄은 도무지 기억이 나지 않았다. 무엇 때문에, 왜 그럴까? 너무 오래 되어서?

열여섯 살 때라면 그가 고등학교에 다닐 때였다.

그때도 봄은 왔건만, 그는 그 봄을 잘 생각해낼 수가 없었다.

"그게 무어라고 그리 생각하려 하시오?"

남들은 그렇게 말했지만, 그는,

"그래도 문득 그런 생각이 들 때가 있습니다."

하고 말했다.

그게 너무 오래 지나서 생각이 안 나는지, 눈 여겨 보지를 않아서 그런지, 그때 개나리나 진달래, 목련이나 철쭉이 활짝 핀 것도 모르겠고, 그해 봄이 몹시 추웠다든지, 메말랐다는 생각도 나지 않았다.

군사 훈련을 받는다고 머리를 박박 깎고 교련복을 입고 다녔으며, 열병 행진 때 발을 잘못 맞춘다고 귀를 잡힌 채 앞으로 끌려나와 엎드려뻗쳐 있었다.

제기랄!

그래도 학교를 마치고는 자전거를 타고 시내를 잘도 돌아다녔고, 남몰래 극장에도 갔으며, 학원에도 다녔다. 그래도 그때 그는 뭔가 재미가 없었다.

여섯 살 때는 유치원에 다닐 때였다.

얼음에 담긴 딸기 그릇이 나왔다.

눈을 꼭 감고 기도를 하라고 했는데, 나는 그게 먹고 싶어 눈을 뜨고 말았다. 그랬더니 수녀가 내 그릇을 가지고 가버려서, 나는 놀라고 두려워서 속으로는 거의 울고 있었다. 그리고 혼자 걸어서 엄마를 찾으러 갔든, 버스를 타고 집으로 돌아갔을 것이다. 그렇게 한 해는 다녔을 텐데 내 기억 속에는 단 하루밖에 없었다. 그때도 재미있었던 기억은 없다.

무슨 잘못을 했는지, 열여섯이 된 우리 반 학생은 모두 책상 위에 올라가 양말을 벗고 무릎을 꿇고 앉아 발바닥에 매를 맞았다. 그게 얼마나 아팠든지, 나는 그건 또렷이 기억이 난다. 금테인지 은테인지 안경을 썼던 선생은 우리를 왜 그렇게 아프게 때렸을까? 그 스스로가 못났기 때문일 수도 있고, 그때 세상이 그래서 그랬을지도 모른다. 그때도 왜 그렇게 즐거운 것이 없었을까?

"여섯 살짜리 어린이가 유치원이 끝나면 혼자 버스를 타고 집으로 돌아갔다는 말입니까?"

"네, 그런 것 같습니다. 누군가 함께 돌아간 기억은 없거든요."

나는 생각나는 대로 말해주었다.

그렇게 잘살지도 않았지만, 아버지와 어머니는 바깥일에 바빴다.

"그때는 초등학교는 다녀도 유치원은 못 다닌 사람이 꽤 많았을 걸요?"

"네, 그렇습니다만, 내 기억으로도 다녔다고 해서 반드시 좋은 것은 아니었던 것 같습니다."

"50년 앞의 일이란 누구나 희미한 것이 아닐까요?"

"그런데 그게 어떻게 딱 하루만 생각이 날까요, 딸기 그릇을 빼앗겼던 날 엄마가 일하는 곳에 찾아갔다면?"

"딸기가 나왔다면 여름이겠군요. 게다가 아까 그 그릇에 얼음이 담겼다고 했으니까요."

"그런데 왜 그 아이의 뒤에서는 거친 먼지바람이 불고 있었을까요?"

난 그때를 어렴풋이 기억해내었다.

그러나 난 언제까지나 여섯 살이나 열여섯 살에 머무를 수 없었으므로, 곧 스물여섯이 되었다.

그때는 1986년으로 난 일본에 있었으며, 그는 우리나라에 있었다.

섬나라에는 거친 먼지바람이 불지는 않았지만, 더 외로웠다. 거기에서는 모든 것이 눅진거리듯 축축해졌으며 쓸쓸했고, 나와는 잘 맞지 않았기 때문에 열여섯 달 만에 돌아왔다.

서른여섯, 마흔여섯 살 때는 아주 많은 대학을 돌아다니며 스물여섯 해 동안 가르쳤고, 그 서른 살 때부터 쉰여섯 살 동안 또 많은 이야기를 썼다. 그래서 여섯 살짜리 어린이는 쉰여섯 살 중늙은이가 되었지만, 그의 삶에는 무언가 이어지고 있는 것이 있었다.

그와 나를 따로 떼어놓을 수는 없지만, 그는 늙어 갔고, 나는 새로운 기억을 더듬고 있었다. 그들은 그들끼리 돈과 자리를 주고받았지만, 쓸쓸한 사람들은 그 거리의 뒤안길을 거닐고 있었다. 그들은 돼지처럼 살이 졌지만, 그들은 말라 갔다.

'누가 이길지, 누가 질지는 아직 모른다.'

쉰여섯 살인 그는 그렇게 생각하고 있었다.

그러나 그들도 마침내는 다 같이 잘사는 것이 좋다고, 아니, 그들은 그걸 끝끝내 싫어할 것이다. 왜냐하면 좀팽이기 때문이다. 그런 그들은 차도 아주 빨리 몬다. 남이 저를 따라잡는 걸 그들은 견디지 못하기 때문이다, 그들은 결코 길을 먼저 비켜주지 않는다. 왜냐고? 좀팽이기 때문이다.

그런 좀팽이는 하루살이처럼 짜증스럽기만 하니까, 아예 비켜 가는 게 좋다. 그건 그가 한 서른여섯 살 무렵부터 쉰여섯 살이 될 때까지 줄곧 느끼던 것들이다. 그러니까 그때부터 그도 좀팽이에게 질 수는 없다고 느꼈던 것이다. 그때만은 그도 무기력하지 않았다. 그러면 이제 짜증을 내지 않고 견딜 만도 할 테지만, 아까 말한 것처럼 아예 피하면 될 테지만, 그도 끝끝내 일부러 비켜주지 않을 때가 있었다. 그래서 그는 그런 것 때문에 머리를 아파기보다는, 좀팽이에게는 미리 먼저 길을 비켜주면 그것들은 찐 맛이 없어져서 속이 더 부글부글 끓어오르더라는 것이다.

누가 이길지는 아직 모른다.

이제 그는 쉰여섯 살이다.

힘이 조금씩 빠질 나이다.

그래, 그렇다고 치자.

겨우 좀팽이들 때문에 앞길이 가로막혀서야 되겠는가!

그들은 미리미리 거의 모든 길을 다 막아버리고 있다. 그렇게 하려면 엄청난 돈이 들 것이다. 앞으로도 그렇게 하려고 엄청난 돈을 들이려고 할 것이다. 그러면 그와 같은 사람은 언제까지 거기에 막혀 나아가지 못하고 있어야 할까? 그런 사람이 많을 것이다. 그도 힘이 든다.

'힘이 드는 걸 피하려고 하지 마라. 힘이 들면 힘이 생길 테니까!'

따지고 보면 그처럼 밝고 우스운 말을 잘하는 사람도 드물 것이다. 무슨 말이든지 우습게 이야기했고, 우습지도 않는 말을 일부러 굳은 얼굴이나 힘을 주어 말했기 때문에, 그걸 듣는 사람은 웃지 않을 수가 없었다. 그리고 그는 책을 많이 읽어서 곧잘 훌륭한 옛이야기를 들먹거렸기 때문에, 듣기에 따라서는 배울 것도 있었다.

"하지만 곧잘 이랬다저랬다 하지요?"

"네. 좀 그렇습니다."

"그리고 짜증과 싫증을 자주 내지요?"

"네, 그렇습니다."

"목소리는 크지만, 때로는 아주 쩨쩨하지요?"

"네, 그런데 그걸 어떻게 아셨나요?"

그는 뭔가 들킨 것처럼 놀라며 물었다.

그건 그렇고, 무슨 소리를 하더라도 요즘 그가 힘이 빠진 것은 정말이다. 그가 스스로 힘을 빠지게 했다고? 열에 아홉은 그의 탓이 아니다.

첫째, 비가 오지 않고 너무 메마르다는 것.

둘째, 박사가 어디 나가서 가르칠 때가 없다는 것.

셋째, 돈과 자리와 힘이 있는 사람끼리 사이에서만 돌고 돈다는 것.

넷째, 개새끼는 개새끼끼리 잘 논다는 것.

다섯째, 그놈들이 그 사이를 비집고 들어가는 모든 길을 막고 있다는 것.

여섯째, 그 길목을 막는데, 장사치들의 돈과 나라를 다스리는 우두머리들의 힘이 합쳐져 있다는 것.

일곱째, 그런 놈들 가운데는 야릇하게도 아직까지 친일파가 많다는 것.

여덟째, 그의 기분을 나쁘게 하는 거의 날마다 끼는 시뿌연 먼지는, 중국보다 전기차가 적고, 집만 부수고 짓는 우리나라 탓이 더 크다는 것.

아홉째, 돈이 있건 없건 못된 놈이 너무 많은 탓.

"그럼 그의 탓은 무엇인가요?"

"마땅히 떠오르는 게 없지만 있다면 거센 마누라와 술 탓."

그가 그런 탓을 한 지는 스무 해도 더 될 것이다.

여러분은 누구 탓이라고 생각하는가?

탓만 하고 있을 수가 없다면, 그와 여러분이 해야 할 일은 무엇이라고 생각하는가?

1. 아무 것도 할 일이 없다.
2. 그와 여러분이 힘을 모은다.
3. 무엇을 어떻게 해야 할지 곰곰이 생각해본다.
4. 정말 훌륭한 우두머리는 어떤 사람인지 다시 한 번 생각해본다.

5. 대가리 박고 본디 하던 일이나, 그게 떳떳한 일이라면, 더 부지런히 한다.
6. 하늘 탓만 한다, 그러면 비라도 많이 내릴지 모른다.

이제 그가 왜 그렇게 힘없이 느즈러졌는지 알겠는가?

모르겠다고?

알고 싶지도 않다고?

틀림없는 것은, 우리 모두를 느즈러지게 만드는 것은 우리 스스로와 그들이다. 우리 탓과 그들 탓이 똑같이 반반이다.

이제 알았는가?

모르겠다고?

알고 싶지도 않다고?

그것 봐라, 여러분이 얼마나 느즈러져 있는가.

그럼 그는 어떤가?

그는 땅콩과 생맥주, 신 막걸리나 붉은 포도주를 먹으면 금방 살아난다. 하지만 그게 그렇게 오래가지는 않는다. 다음날이면 그는 또 느즈러져 있다. 요즘 그는 신명나는 게 하나도 없었다.

그런데 야릇하게도 며칠 뒤, 그의 무기력이 거의 다 사라졌다.

그건 하는 수 없이 꽤 먼 길을 걸어가서 일을 하고는, 다시 걸어서 돌아온 다음부터였다. 그때 그는 시간이 빠듯해서 아주 빨리 걸어갈 수밖에 없었고, 돌아올 때도 버스를 타기 싫어서 다시 걸어왔는데 그 다음부터 뻐근하던 오른쪽 아랫배도 괜찮았고, 기분도 괜찮아졌다. 또, 그거 말고도 그의 무기력이 사라진 데는, 간밤에 똥을 누고 자서 몸속에 나쁜 찌꺼기가 빠져나갔기 때문인 것 같았다. 그래서 그는 그날부터 꼭 밤에 똥을 누기로 마음먹었다.

또 그 다음날은 메마른 땅과 강에 하루 내내 비가 내렸고, 그는 내리는 비를 바라보며 그런대로 기분이 괜찮았는데, 점심을 먹고는 무기력에 빠지려는 걸 막으려고 일부러 또 먼 길을 걸어가서 일을 하고는, 우산을 쓴 채로 다시 걸어서 돌아왔다. 이로서 그는 이틀째 무기력에서 서서히 벗어나고 있었는데, 지난 밤에도 잊지 않고 똥을 누고 잤다.

그러고 보면 그가 무기력에 빠진 데는, 나라 탓이나 거센 그의 마누라나 술 탓 말고도, 똥 탓도 있었고, 많이 걷지 않아서 그런 탓도 있었던 것이다. 따질 것도 없이 똥을 누고, 많이 걸었던 것이 그를 더 빨리 무기력에서 벗어날 수 있게 했던 것이다.

"한 이틀 비바람이 많이 불어서, 그가 무기력에서 벗어난 건 아닐까요?"

"그럴 수도 있겠군요. 또, 무엇보다 그 몸속 찌꺼기를 밖으로 잘 뺐기 때문이 아닐까, 합니다. 술은 내내 마셨다고 하니까요."

"그래서 피가 깨끗해졌다? 몽골 말에 피가 깨끗한 말이 오래 산다는군요."

그러고 보면 그의 오줌발도 굵어졌는데, 그건 여느 때보다 커피를 한두 잔 더 마셔서 그런 것 같았다. 그러면 마침내 그는 똥오줌을 잘 누어서 무기력에서 벗어나고 있었는데, 거기에 그가 어디에 다시 나가서 글을 가르치고 돈이라도 좀 더 벌게 된다면, 그는 진짜로 무기력에서 벗어날 것만 같았다.

그런데 그가 그렇게 된 데는 정말 나라 탓은 없을까? 시뿌연 먼지만 끼고 비가 안 내린 데도 나라 탓은 없을까? 푸른 바람이 불고, 푸른 숲과 전기 자동차가 많아지도록 하는 일은 누가 해야 되는가? 글쟁이가 글을 써도 한 푼도 못 벌고, 글을 가르치지도 못하는 데는 나라 탓은 없을까?

그를 그처럼 무기력하게 짜증나게 하는데 너그러운 마음과 머리가 모자라서, 사람들을 잘 다스리지도 못하고, 일부러 떠들거나 대들거나 엉망진창으로 차를 모는 좀팽이 같은 놈들 탓은 없었을까?

"그런 좀팽이 같은 연놈들은 대개 오래 못 갑니다."

"그런데 아까 말했던 그의 아내 탓은 전혀 없을까요?"

"있을 겁니다, 그의 아내는 어떤지 잘 모르겠습니다만, 집안과 돈과 제 얼굴과 옷에 마음을 쓰는 계집이 사내보다 큰 뜻을 품기란 참 어려우니까요." 그들은 저마다 그렇게 말했다.

그를 무기력하게 만든 데는 그들 탓도 있겠지만, 쉰여섯이나 된 그가 언제까지 그 탓만 하고 있을 수는 없다. 똥은 어젯밤에도 누었고, 오늘 아침에도 또 누어서 몸이 가벼워졌으니까, 이제 그의 무기력은 똥 탓이 아니다.

그렇다면 본디 그의 성깔이 그런데다가, 마땅한 일자리도 없이 돈도 안 되는 쓸데없는 이야기나 짓고 있어서 그런 건 아닐까? 그것도 맞는 말일 것이다.

아무튼, 그가 요 며칠 무기력에서 좀 벗어나게 되었다는 것은 잘된 일이고, 앞으로 그의 이야기도 더 재미있어질지 모르는 일이다. 그동안 아무도 그를 알아주지 않아서 그가 무기력에 빠졌다면, 그의 이야기도 재미가 없었을 것이고, 그래서 여러분도 읽지 않았을 것이다,

그런데 재미있게 쓴 그의 이야기가 전혀 읽히지 않는다면, 그게 그의 탓인가?

"그건 아니겠지요."

"그럼 누구 탓인가?"

"먼저 그가 쓴 이야기가 정말 재미있었나, 하는 것입니다."

"재미있는 이야기가 왜 없겠는가?"

"그렇다면 그의 무기력은 그의 탓만은 아니군요."

"그가 운이 없는 탓은 있겠지."

"그런데 그런 사람이 너무 많다면, 그 운만 탓할 수 있을까요? 다른 탓이 있지 않을까요? 그가 늘 말하던 나라 탓이나, 그놈들 탓 말입니다."

"글쎄."

− 끝 − 2015/4/15

11월

김 영 관 (소설가)

날은 흐렸고, 그는 그의 할일을 찾아야 했다.

그것만이 11월의 을씨년스러운 날씨를 견딜 수 있을 거라고 그는 생각하고 있었다. 그렇다면 그건 모두에게 똑같이 들어맞는 게 아닐까?

그 할일이라는 것을 모두 찾지 못하기 때문에 그 을씨년스러운 11월을 견디지 못하는 것이 아닐까, 이 말이다. 누가 그렇게 말하든 안 하든, 그는 혼자 그렇게 믿기로 마음먹었다.

그날은 하늘이 파란데도 그의 가슴은 무겁게 가라앉아 있었다.

"11월은 늘 가라앉아 있지."

그는 그렇게 중얼거리며 또 길을 떠났다.

거기까지는 걸어서 1시간 10분이 걸렸지만, 버스를 타면 10분밖에 걸리지 않았다. 그는 그 곳에 네댓 번 가보았지만, 걸어간 것은 어제, 오늘 두 번밖에 되지 않았다. 그리고 돌아올 때는 다리가 아파서 꼭 버스를 탔다.

거기에는 거기 학교와 거기 군부대와 거기 여관과 거기 병원이 있었는데, 그가 간 곳은 거기 병원이었다. 그걸 빼면 거의 다 작은 가게들이었는데 그걸 여기서 하나하나 다 이야기할 수는 없지만, 자동차를 고치는 데도 많았고, 공구나 그릇, 오만 먹을거리를 파는 가게가 많았다. 칼국수, 오리, 메밀국수, 자장면을 파는 곳이 그의 눈에 띄었고, 예쁘게 지어놓은 집도 몇 군데 있었다. 그리고 꽤 길고 깊은 내가 많아서 여러 군데 긴 다리가 놓여져 있었으며, 그 밑으로는 차가운 날씨를 견디지 못한 갈대와 풀잎들이 쓰러져 있었고, 멀리 논에는 볏짚을 어마어마하게 큰 두루마리 휴지처럼 몇 십 개나 말아놓은 것이 보였다.

'가을이 깊어가는군. 아니 이건 겨울이 왔다고 해야 하나?'

그는 거기 병원은 일부러 아랑곳을 않으려는 투였다.

그로부터 며칠 뒤, 영하 8도의 겨울이 왔고, 그의 어머니는 하늘나라로 갔다. 그렇게 11월도 끝났다. 그리고 그도 이제 더는 그 길을 따라가지 않아도 되었다.

1시간 10분을 걸어서 두 번, 차를 타고 세 번 갔던 거기 병원에 그의 어머니는 일주일 있었다. 그리고 11월, 그는 그의 할일을 했으며, 아픈 사람은 더 말라 갔다. 어머니는 물도 우유도 먹지 못해 그는 마지막 요구르트를 떠먹였다. 그게 물보다는 마른 목을 타고 더 잘 넘어갔다.

1년 동안 어머니를 돌보았지만, 그는 그렇게 지친 것도 아니었고, 쏟아지는 잠은 전철 안에서 때웠다. 그건 지난해 11월부터 그랬다. 하여튼 11월은 지나갔고, 그는 12월은 맞았으며 지난달은 잊고 싶었다.

말이 오동나무 널이었지, 그는 그게 어떤 나무인지 몰랐다.

거기 병원에서 그의 어머니를 깨끗이 닦고 수의를 입혀 놓았다. 그는 그들과 함께 마른 나무처럼 가벼운 어머니 들어 널에 뉘었다. 그들은 두루마리 휴지를 밀어 넣어 어머니를 아주 반듯하게 뉘었고, 그는 그들과 함께 마지막으로 널의 뚜껑을 덮었다. 그게 그의 11월이었다.

"하늘과 땅에 뿌리자. 그러면 하늘과 땅과 하나가 될 것이다."

"뼈를 항아리에 담아서 묻어야 한다."

그와 그들의 생각은 달랐다.

사흘이 지나고 비가 오던 날, 그는 그들과 함께 그의 아버지 무덤 옆에서 그의 어머니가 묻힐 땅을 팠다. 마침내 그가 밀린 것이다.

"그만 파도 돼, 비가 오잖아."

"더 깊이 파야 돼."

그는 그들과 또 생각이 엇갈렸지만, 땅은 자꾸만 깊이 파졌다.

그는 그의 아버지 무덤에도 거의 10년 만에 찾아왔기 때문에, 억새가 2미터나 자란 무덤은 이루 말할 수 없을 만큼 헝클어져 있었다.

"아아."

그는 한숨을 지었지만, 그들은 한숨을 짓지 않았다.

겨울비는 부슬부슬 내리고, 그는 추워서 아까 바닥에 벗어두었던 비 맞은 윗도리를 다시 입었다.

그들은 자꾸만 더 깊이 땅을 팠고, 그도 마지막으로 흙을 뿌렸고, 마침내 그의 어머니의 뼈를 담은 항아리는 땅 속에 묻혔다. 그날은 11월 마지막 날이었다.

11월은 그렇게 끝이 났다.

그러나 그가 아직 그 11월을 생각하는 것은 옳은 일일까?

'그래, 겨우 사흘이 지났을 뿐이지만, 그래도 빨리 잊어야지.'

그는 그렇게 생각했다.

지쳤던 지난 1년보다 그는 요즘 하루하루 덜 지치는 걸 느낄 수 있었다.　그건 그의 어머니가 떠났기 때문일 수도 있었다.

12월의 첫날부터 강추위가 몰아쳤고, 모두 몸을 움츠렸지만 그는 아직 11월을 생각하고 있었다.

아아.

하지만 그는 어떻게든 힘을 내야 했다.

"2일장으로 하자."

라는 그의 말에 모두 눈을 휘둥그레 떴다.

"3일장은 너무 길다."

그의 어머니는 새벽 6시에 눈을 감았다. 그는 하루라도 빨리 그의 어머니를 하늘로 보내드리고 싶었다.

"5일장을 지내는 사람도 있는데?"

"그건 그들 이야기다."

그러나 그것도 화장장이 꽉 찼기 때문에 하루가 늦어져 3일장으로 할 수밖에 없었다. 그가 생각한 뼛가루를 뿌리자는 것과 2일장을 하려던 것은 모두 이루어지지 않았다.

'어머니는 더 살고 싶었을까?'

그건 그도 알 수 없었다.

11월을 놓아주어야 한다는 것은 그도 잘 알고 있었지만, 자꾸 생각이 나는 건 어쩔 수가 없었다.

12월은 왔고, 몹시 추운 날이 이어졌으며, 그가 하던 일 가운데 어머니를 돌보는 일은 빠졌다.

"절에서 어머니 넋이 좋은 데 가기를 비는데 100만 원이 들어서 우리가 얼마를."

그의 아내가 어디에선가 걸려온 전화를 받고 난 다음 그에게 말했다.

"뭐라고? 때려치워! 돈이 어디 있다고, 그리고 절은 무슨 절!"

그가 소리쳤다.

그건 그의 아내가 생각한 것이 아니라는 것을 알았지만, 그는 일을 치르는데 그들 말대로 그런 것은 왜 꼭 거쳐야 하는지 알 수가 없었다. 그게 그가 그들과 늘 부딪치는 까닭이었다. 그도 한때는 그런 것에 따라보았지만, 그게 옳은 것 같지도 않았고, 생각을 한 데 모을 수도 없었고, 늘 빈껍데기만 남는 것 같았다. 그리고 그런 것 뒤에는 늘 어리석음과 힘과 돈을 바라는 무리들이 도사리고 있는 것만 같았다.

 거기 병원으로 그가 타고 다니던 버스는 아직까지 거리를 달리고 있었다. 그는 그게 좀 낯설기도 하고 야릇하기도 했다.

 그의 주머니 속에는 그의 어머니의 사망 진단서가 들어 있었다.

 '오늘은 이걸 구청에 갖다 내어야지.'

 그는 그렇게 생각하고 길을 걷고 있었다.

 그날따라 날씨는 영하 12도였지만, 그게 무슨 핑계가 되랴.

 "저기 4번에 갖다 내세요."

 날씨 탓인지, 본디 그런지, 아가씨가 쌀쌀맞게 말했다.

 죽은 까닭, 염통과 허파 멈춤. 어디서, 거기 병원. 언제, 11월 27일 새벽 6시.

 그는 사망 진단서대로 그의 어머니가 죽은 까닭을 써 내려갔지만, 아프고 난 지난 1년 말고는 그의 어머니가 줄곧 그의 집에 있지는 않았기 때문에 일찍 죽었을 지도 몰랐다.

 꽤 먼 길을 걸어와서 그런지, 그것도 무슨 핑계라고 그는 그날 꽤 지쳐 있었다. 아니, 그것보다 아무리 해도 몸에서 힘이 나질 않았다고 하는 게 더 맞는 말일 것이다. 그는 그렇게 스스로 탓만 하고 있었다. 그는 말하는 바로 이때를 살아내야 했다. 그게 그렇게도 그를 짓누르고 있다는 걸 그는 새삼 느끼고 있었다.

 아아.

 어디로 가야 하나?

 갈 길은 어렴풋이 보였지만, 그게 예전처럼 또렷이 보이진 않았다.

 그는 지쳤지만, 그의 어머니는 이 땅을 떠났다.

 남은 이는 지쳤고, 떠난 이는 서러웠을 것이다.

 그는 그의 어머니 눈가에 흐른 마지막 눈물을 보고 그걸 알았다. 그게 그와 그의 어머니의 11월이었다.

 12월엔 눈이 왔고, 날은 찼다.

 그와 그의 어머니는 이제 멀리 떨어져 있었다.

 11월 달력처럼 그의 어머니는 그에게서 떨어져 나갔다.

 그러나 그는 그 11월 달력을 찢지 않았고, 날은 자꾸 지나가고 있었으며, 그는 움츠려들고 있었다. 아아, 그가 언제까지 그래야 할까? 하지만 한 잔의 따뜻한 커피가 그를 일으켜 세울지도 모른다. 그라는 사람은 그런 것이다.

 이제 11월은 멀어져 갔고, 12월은 쉬지도 않고 흐르고 있었다.

 그는 그의 할일을 하고 있었다, 그건 11월을 이야기로 쓰는 것이었다.

눈은 가볍게, 가볍게 내리고 그는 무거운 발걸음을 옮기고 있었다.

눈은 또 내리고, 그치고 그는 그 눈 속을 또 걸었다.

그는 11월을 잊어야 할까?

12월 17일, 영하 15도.

그는 찬바람이 몰아치는 거리를 또 일부러 걸어보았다.

바깥에서 보면 깃발이 꽂힌 곳 바로 뒤가 그의 어머니가 있었던 병실이었다. 그는 그걸 일부러 병실에서 바라보며 외워두었다. 그는 그렇게 어머니와 깃발을 번갈아 바라보았던 것이다.

11월의 26일, 혈압이 68과 48로 너무 낮아서 강심제가 수액 속에 섞여 어머니의 팔로 들어가고 있었다.

"또 하나는 뭐죠?"

그가 나이든 간호원에게 물었다.

"포도당"

"또 하나는 뭐죠? 그 옆에 있는 노란 것."

"비타민이에요."

간호원은 그녀의 할일에 바빴다.

그는 그 세 개면 그의 어머니가 잘 버틸 것이라고 생각하고 있었다.

그러나 그의 어머니는 그로부터 겨우 하루를 버티었을 뿐이었다.

"날이 찬데 춥지 않을까요?"

그의 말에 아까 다른 간호원이 큰 적외선 온열 전구를 갖다놓았다.

창밖에 날은 차고 깃발이 나부끼고 있었다.

왼쪽이 새마을 깃발, 가운데가 태극기, 오른쪽이 병원 깃발이었다. 그런 가운데서도 글쟁이라서 그는 그런 걸 생각하고 있었다. 그게 그의 할일이라고 말할 수 있을까?

그로부터 한 달 뒤, 그는 통일의 관문과 신라 마지막 왕 경순왕의 능을 다녀오다, 그 병원 앞을 지나면서 깃발이 나부끼는 병실을 길에서 쳐다보았다. 때마침 그때 바로 그 앞에서 신호등에 빨간 불이 들어왔고, ㄱ는 거기를 쳐다보며 그의 어머니가 어디에 있었는지를 이야기해주었다. 그가 그때 병실에서 깃발을 봐둔 건 잘한 일이라는 생각이 들었다.

그의 어머니도 가고, 11월도 갔다.

그가 그 11월을 잊든, 잊지 못하든, 아직 잊지 않고 있든 11월은 지나갔다. 그 해가 가고, 그다음해가 가고, 또 그다음해가 가면 그 11월도 차츰 잊힐 것이다. 그때까지 그가 어떻게 살지는 그가 하기 나름이지만, 더 부지런히 훌륭한 삶을 살아야 하는 것만은 틀림없었다, 그게 그렇게 눈을 감은 그의 어머니를 위한 그의 할일일 테니까 말이다.

통일의 관문을 잘 지켜두는 건 군인이 할일이고, 경순왕의 할일은 신라를 잘 지키는 일이었지만 그렇게 하지 못했을 때 그 백성을 지키기 위해 나라를 고려에 반쳤다. 그리고 경순왕은 송악(개성)으로 와야 했고, 거기서 죽은 다음 경주에 묻히려고 했지만 옛 신라 사람들이 반란을 일으킬까 두려웠던 고려는 그를 임진강이 내려다보이는 경기도 연천 언덕에 묻고 말았다. 경순왕과 고려는 그들의 할일을 다 한 것일까?

그의 어머니는 할일을 다 한 것일까?

"예."

그의 어머니는 틀림없이 할일을 다 한 것이라고, 그것보다 훨씬 많은 일을 했다고, 마지막에 다 하지 못한 일은 몇몇 일에 지나지 않는다고 그가 말했다.

그러나 그녀가 아쉬운 것, 서러운 것이 왜 없었을까! 그녀의 눈가에는 마지막 눈물이 흘러 있었다.

그는 할일을 찾았는데도 12월을 겨우 견디고 있었다. 그건 그의 할일을 잘하고 있다는 말은 아니었다.

요 며칠 동안 그는 땅바닥에 떨어진 손전화기를 주워 파출소에 갖다 주었고, 누군가 현금 인출기에서 꽤 많은 돈과 카드를 빼지 않고 그냥 가버려서 그가 오히려 어쩔 줄을 몰라 빤히 바라보다가 그게 저절로 문이 닫히며 돈과 카드가 다시 안으로 들어 가버리자 옆에 달린 전화로 은행에 알려주었다. 하지만 그게 그의 할일이 아니어서 그런지, 그렇게 하고 난 다음에도 그는 찜찜했다. 왜냐하면 파출소 순경도 그의 이름이나 적어놓고 가라고 했고, 뒤늦게 현금 인출기 앞으로 쫓아온 어떤 아줌마와 아저씨도 그의 얼굴을 힐끔힐끔 쳐다보며 그가 어디에 사는지를 물었기 때문이었다. 그는 좋은 일을 한다고 했는데, 오히려 마음속으로 겁이 나고 탈이 날까 켕긴다면 이 일을 어떻게 해야 되겠는가! 그건 11월과는 다른 일이 12월에 일어난 것이니까, 11월이 잊히고 있다고 보면 된다고?

'그래도 그렇지.'

그는 그런 생각이 들었다.

그리고 오늘 아침에는 그가 지난 1년 동안 그의 어머니가 타던 휠체어를 거기 병원 의료 기기 가게에 돌려주러 갔는데, 거기서 그는 마치 며칠 앞에 그의 어머니가 그 병원 분수대 쪽에서 휠체어를 탄 것처럼 느껴졌다. 그의 어머니는 답답한 병실에 있지를 못했다. 그때 그는 밤이고 낮이고 그 분수대를 돌았다. 그건 벌써 1년도 더 앞의 일이었지만 그 생각은 또렷이 그의 눈앞에 어렸고, 그는 그게 1년 앞의 일이란 걸 까맣게 잊고 있었다. 그리고 보면 지난 1년은 눈코 뜰 새 없이, 쏜살같이 흘러가버리고 만 것이다. 생각과 기억이란 그런 것인지도 모른다. 그리고 그는 새로운 할일을 찾아야 했다.

그러나 어떤 오래된 일은 느닷없이 아까 일어났던 일처럼 느껴졌으며, 또 어떤 일은, 손전화기를 주워 파출소에 가져다준 일과 현금인출기 안으로 꽤 많은 돈과 카드가 다시 들어갔다고 알려준 일, 좋은 일을 하고도 뿌듯하기보다 찝찝하게 느낄 수밖에 없었다.

12월이라고 해도 찬바람이 불면 하늘은 파랗고 맑았지만, 요 며칠은 뿌연 먼지가 뒤덮었다. 그래서 그런지 기침을 하는 사람도 많았고, 얼굴을 찡그린 사람도, 성이 잔뜩 난 사람도 더 많은 것 같았다.

요 다음해, 그는 어떤 12월을 맞을까?

하늘은 더 파랄까, 아니면 또 시뿌연 먼지가 뒤덮은 날이 많을까?

그래도 그는 더 굳세게 그 날을 맞아야 할 것이다. 그러면 파란 하늘에 그가 좋아하는 바람이 불어올 것이다.

기억이 잊히고 있다는 생각이 들었다.

- 끝 -   2014/12/29

멀리보기 9.0

김　영　관 (소설가)

무좀은 끈질기게 따라오고 있었다.

나는 저 만치 앞서가고 싶었지만, 무좀은 늘 날 앞질렀다.

그러니까 무좀 이야기는 관두자.

나를 따라올 수 없는 것, 나를 따라잡을 수 없는 것, 내가 앞지를 수 있는 것, 내가 앞서갈 수 있는 것을 이야기하자.

그게 무엇일까?

무좀은 빼고 이야기하자, 두 달이나 날 괴롭히고 있으니까.

시력 2.0?

"정말 눈이 좋으시네요."

그건 간호원도 그렇게 말했다.

그래서 그런지 난 아무리 멀리 쓰여 있는 글씨라도 웬만큼은 다 읽어서,

"우와, 당신, 아버지, 저게 다 보여?"

하고 말하며, 모두 입을 다물지 못하고 웃곤 했다.

하지만 나는 바로 눈앞에 있는 작은 글씨는 눈을 찡그려야 겨우겨우 읽을 수 있는 멀리보기였다. 난 늘 먼 곳을 바라보는 버릇이 있었다. 그래서 눈이 좋아진지도 모르지만, 바로 앞의 작은 글씨를 못 읽어 답답할 때가 한두 번이 아니라면, 이건 눈이 좋다고 해야 하나, 나쁘다고 해야 하나?

몽골 사람들은 늘 푸른 들판과 하늘을 보고 사니까 시력이 5.0, 4.0, 3.0이라고 한다. 내가 몽고에 가면 눈이 좋다는 소리는 못 듣겠지만, 푸른 들판과 하늘은 거의 날다마 볼 수 있을 게다.

내가 세상에 등을 돌리니 세상도 나에게 등을 돌렸고, 세상이 나에게 등을 돌

리니 나도 세상에 등을 돌렸다. 누가 먼저라고 할 것은 아니다. 나도 참으로 잘 못되었지만, 세상도 참으로 잘못되었다고 말해도 될 것이다.

내가 멀리보기가 된 것도 나이가 들어서 그렇다기보다 그 세상 탓이다. 세상 탓에 나는 컴퓨터도 책상 위세 두 팔 길이만큼 멀리 놓아두고 보곤 했는데, 그 때부터 더 빨리 멀리보기가 되고 만 것 같았다. 그러니까 그 글씨는 보여도 바 로 앞 작은 글씨는 아무리 해도 읽을 수가 없어서 늘 돋보기를 끼고 눈을 찡그 려 읽곤 했던 것이다.

그렇다면 내 눈은 좋다는 말인가, 나쁘다는 말인가? 아까,

"눈이 정말 좋네요."

하고 말한 그 간호원은 무얼 잘못 본 것일까?

"술을 많이 마셔서 그런 거 아냐? 눈은 간과 이어져 있다고 하니까 말이야."

그렇게 말하는 그는 졸보기안경을 끼고 있었다.

하루에 막걸리 한 병이 뭐가 많다는 말인지, 나는 술을 많이 마시지 않는다고 생각했으므로, 그의 말은 한 귀로 듣고 한 귀로 흘려버렸다.

그러나 몽골 벌판을 바라보는 독수리의 눈은 9.0, 이라는 그의 말을 듣고 나 는 깜짝 놀랐다.

'그래서 거기 사는 사람들 눈이 5.0, 4.0, 3.0이군.'

나는 그렇게 생각했다.

그러면 난 내 눈이 3.0이 되면 다시 잔글씨를 읽을 수 있을까? 난 눈이 1.0일 때는, 그건 스무 살이나 서른 살 때였지만, 잔글씨는 잘 읽을 수 있었는데 2.0 이 되면서 오히려 읽을 수가 없었다. 모진 멀리보기가 되고 만 셈이다. 잔글씨 를 읽기 위해서 난 눈이 3.0이 되어야 할까, 1.0으로 돌아가야 할까? 그 어느 것으로 돌아간다고 해도 반드시 작은 글씨를 잘 읽을 수 있을지는 알 수 없었 다.

내가 멀리보기가 된 것이 오로지 술과 나이 탓일까?

난 늘 먼 하늘과 큰 나무를 바라보는 버릇이 있었다. 눈이 나빠질까봐 컴퓨터 도 일부러 두 팔 길이는 떼어놓고 글을 쓰곤 했다. 그래도 그것 때문에 눈은 더 나빠졌다고? 그러면 술과 나이와 글쓰기 탓에 내 눈이 나빠졌다는 말인가?

술에 취하면 세상이 아련하게 보였다. 난 그게 좋았다. 비로소 세상이 옳게 보 이는 것 같기도 했다. 젊어서는 두려워서 마셨고, 나이가 들고는 좋아서 그랬 고, 이제는 더 바로 보기 위해서 그랬다.

세상은 점점 더 좀스럽게 약아 갔다.

그건 어리석은 사람을 속여서 돈과 힘을 얻기 위해서 다 그러는 것이다. 어떻 게 세상 사람은 그걸 모를까? 아니 알고서도 왜 그 속에서 히득거리고만 있는

것일까? 그건 바로 머리가 모자라다는 말이 아닐까? 아니 머리가 좋은 연놈들 가운데도 그런 것들이 많다면, 그건 마침내 정말 머리가 좋은 것이 아니라는 말이 아닐까?

그럼 난 머리가 좋아서 멀리보기 글쟁이가 되었다는 말인데, 여러분도 그렇게 보는가?

"지금 무슨 소리를 하는 거야? 머리가 어떻게 된 거 아냐?"

그가 졸보기안경을 한번 치켜 올리며 말했다.

그는 정말 머리가 좋은 놈일까, 나쁜 놈일까?

그건 여러분이 이야기를 읽어나가면서 헤아리기 바란다.

가을이 물들어가면서 하늘은 아주 맑고 파랬다.

멀리보기는 그 파란 하늘 끝까지 구름을 뚫고도 바라볼 수 있었다. 거기에서 내가 만나는 것은 꿈과 사랑이었다. 너를 사랑하는 꿈, 너희를 사랑하는 꿈, 나를 사랑하는 꿈.

나는 나를 반만 사랑하고, 나머지 반은 사랑하지 않았던 것이다.

멀리보기는 그 나머지 반도 사랑할 수 있기를 바랐다.

졸보기인 그는 그런 나를 빤히 쳐다보고 있었다.

사람들은 미쳐가고 있었고, 멀리보기는 더 멀리 바라보았다.

누가 옳고, 누가 누구를 나무랄 수 있을까?

그와 나, 졸보기와 멀리보기?

그는 가까운 것은 잘 보지만 멀리 있는 것은 잘 보지 못했다. 저에게 보탬이 되는 눈앞에 있는 것은 잘 보아도, 조금 떨어져 있는 남과 그를 위한 것은 보지 못했다. 멀리보기가 보기에는 그게 그렇게 멀리 떨어져 있지도 않았는데 말이다.

그런데 우리나라에서는 멀리 보려고 해도 자꾸만 큰 집들이 지어져 가리는 바람에 통 바라볼 수가 없어서, 나는 하늘이나 바라보거나 나무가 죽 늘어선 조용한 거리만 찾아서 걷곤 했다.

왜 자꾸 그들은 내 눈앞을 가리려는 것일까?

어찌하여 그들은 우리가 멀리 내다보려는 걸 두려워하는 것일까?

무언가 겁이 나서? 본디 바탕이 좀팽이라서? 무엇이 훌륭한 길인지 생각해보지도 않았으니까? 그들보다 똑똑해지면 안 되니까?

"어머나, 눈이 3.0이네요."

간호원은 믿을 수 없다는 듯이 자꾸 나를 쳐다보았다.

그러니까 그러는 동안에도 내 눈은 점점 더 좋아지고 있었던 것이다. 그런데도 작은 글씨는 한결같이 잘 안 보이니, 이게 눈이 좋아지고 있다고 해야 하나,

그대로라고 해야 하나?

 하지만 이제 나는 겹겹이 쌓인 구름 뒤의 구름도 보이고, 먼 산에 있는 나무들도 더 또렷하게 보였으며, 웬만큼 떨어진 거의 모든 글씨를 읽을 수 있었고 세상도 더 똑똑히 보였다. 겉은 진짜와 비슷하지만 속은 정말 다른 것들이 설치고 있었다. 먼저 그들은 모두를 위한 길을 찾고 있지 않으며, 제 배만 채우려는 것들이었다. 여느 사람은,

"에이, 잘 봐줘, 뭐 그런 걸 가지고 그래?"

하고 말했지만 나는,

"될성부른 나무는 떡잎부터 알아본다고, 싹수 노란 것들은 미리 잘라버리는 것이 좋다. 왜냐고? 그들은 마침내 남을 괴롭힐 뿐이니까."

하고 말했다.

 요즘 그런 것들이 너무 많지 않는가? 눈에 잘 띄는 설치는 것들은 거의 다 그런 것들이다. 그래서 시인 신동엽은 외치지 않았던가, 알맹이만 남고 껍데기는 가라고!

 멀리보기는 이제 그런 것들 속까지 한눈에 다 알아보았다.

 '음, 그래 저건 진짜고, 저건 가짜군. 진짜처럼 보이지만 가짜란 말이야. 알맹이는 없고 껍데기만 남았군. 요사이 말로 속멋은 없고 겉멋만 들었군. 사람이 속이 차야지.'

 아침을 일찍 먹은 것도 아니지만 많이 먹지 않아서 그런지, 낮 12인데도 난 벌써 배가 고팠다. 멀리 볼수록 먹을거리가 더 많이 드는 것 같지는 않았지만, 난 요즘 자주 배가 고팠다. 세상은 날 더 어렵고 지치게 만들고 있었다.

"날씨도 흐리고 시뿌연 먼지가 끼여 앞도 잘 안 보이는 날도 많은데, 멀리보기가 무슨 쓸모가 있겠어요."

 그가 다시 졸보기안경을 치켜 올리며 말했다.

"그래서 시커먼 먼지나 마시며 살겠다는 말이냐?"

 난 더는 가만히 지켜볼 수가 없어서 그렇게 말했다.

 눈이 좋아지면서 난 이제 그의 가슴 속까지 볼 수 있었다.

 그동안에 그의 졸보기안경은 은테에서 금테로 바뀌어 있었다.

 내 눈이 좋아지는지, 찬 가을바람 탓에 하늘이 더 맑아져서 그런지 나는 더욱 멀리까지 바라다볼 수가 있었다. 산꼭대기에 있는 나무가 참나무인지 아카시아인지 흔들리는 나뭇잎을 보고 난 알 수 있었다. 어쩌다가 헷갈리는 게 있기는 해도 그건 내가 무슨 나무인지 잘 몰라서 그런 것이지 안 보여서 그런 것은 아니었다.

 '뛰지 않아도 돼.'

나는 한참 멀리 서 있는 버스 번호를 보며 생각했다.

그런데 눈이 더 좋아지면 그런 건 우리나라에서는 별 쓸모가 없을 것 같았다. 어디 그렇게 멀리 볼 때도 없고, 만날 산꼭대기 위에 올라가는 것 아닌데 말이다, 강 건너도 잘 보이지 않는 시뿌연 도시는 점점 더 높은 집과 비싼 차와 사람들로 꽉 차 있었고, 또 내가 눈이 4.0이라고 해도 그렇게 믿을 사람도 없을 것 같았다.

그럴수록 난 이제 시력 9.0의 독수리의 눈처럼 되고 싶었다.

앞이 잘 안 보일수록 더 멀리보기가 되고 싶었다? 그렇다면 잔글씨는 그렇게 얼굴을 찡그리며 읽겠다고? 그게 정말 눈이 좋은 것인가? 나는 그런 생각도 들었지만, 그저 앞으로 나아갈 수밖에 없었다. 내 삶을 시원하게 살아나가기 위해서라도 나는 그 독수리의 눈을 갖고 싶었다.

"멀리 볼 수도 없는 도시에서 무얼 그렇게 멀리 보겠다고?"

그와 남들은 그렇게 말했지만, 나는 그렇지 않았다.

비가 쏟아지고 바람이 세게 불지 않으면 도시는 늘 뿌연 먼지에 덮혀 있었다. 그렇게 된 지는 벌써 몇 십 년이 된 것 같았다. 그동안에 나도 작은 글씨는 잘 안 보이게 되었지만, 더 멀리 바라보는 눈은 가지게 되었다. 그럴수록 가슴과 어깨도 넓어져서 거의 1미터나 되었고, 키도 조금 더 커져 거의 170센티미터는 될 것 같았다.

"<눈을 재는 판>에 5.0은 없는데요."

간호원이 그렇게 말하며 입을 다물지 못했다.

그는 요즘 더 두꺼운 졸보기안경을 낀 채, 우리나라 것보다 더 비싼 다른 나라 차를 타고 돌아다니고 있었다. 돈이 있으면 타고 다닌다고? 그래도 일부러 싼 차를 몸소 몰고 다니는 돈 많은 사람도 있지.

"미친놈, 미친년이라는 말은 여느 때나 나오는 말이지요?"

"아뇨, 그렇지 않습니다. 그건 서로 싸우기 쉬운 말이지."

내가 마누라와 싸우고 나왔다는 그에게 말했다.

나는 돈도 잘 벌고 있는 그가 왜 마누라와 싸웠는지 알다가도 모를 일이었지만, 아무래도 사는 데는 돈 말고도 여러 가지가 갖추어져야 될 것 같았다.

"그게 뭡니까. 나 참!"

그는 아직 성이 가시지 않았다.

"힘, 버릇, 슬기."

"그 셋은 나한테는 없는 것들뿐이군요."

그도 이미 쉰이 넘었다.

"나도 슬기롭지는 않아, 그러니까 이렇게 살지."

"어떻게 사는데요?"

"나도 가끔 마누라와 싸우면 밀린단 말이야."

"그럼 안 밀리면 슬기로운 건가요?"

"그렇다고 봐야지. 그렇다고 그가 훌륭한 생각을 하고 있다는 것은 아니야."

"그게 무슨 말이에요?"

그가 몰라서 그렇게 물었는데, 나도 딱 이런 것이라고 말해줄 수가 없는 걸 보면 슬기롭다고는 말할 수가 없을 것 같았다.

시력 6.0.

나는 어디 가서 눈을 일부러 재볼 것도 아니고, 점점 더 멀리 볼 수 있게 된 것 같아서 그쯤 될 것이라고 생각했다. 왜냐하면 하늘 높이 나는 새가 까치인지, 비둘기인지, 솔개인지 알 수가 있었기 때문이었다. 박새나 참새, 직박구리 따위는 높이 날지 않기 때문에 눈이 3.0일 때부터 길 건너 지붕 위 안테나에 앉아 있어도 알 수 있었다.

'내가 독수리처럼 벌판을 달리는 여우나 토끼를 볼 것 까지는 없어.'

난 그런 생각도 들었다.

그러나 눈은 점점 더 멀리까지 볼 수 있었다.

멀리서도 산에 오르는 사람들이 보였고, 심지어 그들이 입고 있는 옷 색깔이며, 그게 사내인지 계집인지까지 알 수 있었다.

"이런, 이런 일이 있나? 믿을 수 없군요, 눈이 7.0이라니."

이제는 그 간호원이 있던 병원 안과 의사가 몸소 그의 시력을 재며 말했다.

"놀랍군요, 사람 눈이 7.0이라니!"

의사는 날 무슨 시험 재료로 삼으려는 듯 자꾸만 나를 바라보았지만, 나는 그 병원 문을 박차고 나왔다.

하늘은 가을 찬바람이 불면서 더 맑아졌고, 그만큼 내가 볼 수 있는 거리는 늘어났다.

그로부터 몇 달 뒤, 나는 몸소 그 <눈을 재는 판>을 만들었다.

시력 8.0.

이제 독수리의 눈까지는 1.0이 남았을 뿐이었다.

세상과 사람을 보는 눈까지 좋아져서 나는 거의 모든 사람의 마음을 읽을 수 있었지만, 내 마음은 볼 수가 없었다. 사람은 바로 보는데, 정작 내가 나를 바로 볼 수 없었기 때문에 세상이 마음에 차지 않는지도 몰랐다. 내 눈이 좋아지는 만큼, 나는 사람과 세상과 멀어지고 있었다.

내 방 한 구석에 붙은 <눈을 재는 판>의 가장 밑 9.0에는 가장 작은 글씨와 숫자와 그림이 그려져 있다. 난 이제 그것마저 희미하게는 보였지만, 모두 읽을 수는 없었다. 그렇다고 내가 느끼고 있는 더러운 세상 밖으로 나와 시력 9.0을 재어볼 수 있는 곳은 없었다. 하늘은 뿌옇고, 흐렸으며 강 건너 마을은 보이지 않았다.

'차라리 더 잘, 더 멀리 보이지 않는다면 난 그런대로 살 수 있지 않았을까?'

나는 그런 생각을 해보았지만, 이내 고개를 설레설레 흔들었다.

똑똑히, 틀림없이 잘 보아야 먹잇감을 잡을 수 있다. 어설픈 몸짓 하나, 모자라고 덜 떨어진 생각으로 그저 까들막거리는 것들, 굴린다고 굴리는 머리에 똥 같은 것만 찬 것들, 모두 내 눈에는 밤눈 어두운 약삭빠른 고양이로만 보였다. 그건 그들이 제 잇속만 챙기려는 것이지, 나라와 백성을 생각하는 것은 아니었다.

이듬해 봄, 나는 다시 내 눈을 그 <눈을 재는 판>으로 재어보았다.

시력 9.0!

높이 나는 새가 멀리 본다는 말처럼, 그날부터 나는 마침내 어디에선가 독수리의 눈으로 세상을 바라보고 있었다.

- 끝 -   2014/11/8

김 영관 단편소설 모음 11 <비 내리는 4`19혁명>
(c) 김영관, 2016